Collection dirigée par
Stéphanie Durand

Catalogage avant publication de Bibliothèque et Archives nationales
du Québec et Bibliothèque et Archives Canada

Gravel, François
Hò
(Titan +; 97)
Pour les jeunes.
ISBN 978-2-7644-1325-8
I. Titre. II. Collection: Titan +; 97.
PS8563.R388H6 2012   jC843'.54   C2011-942220-4
PS9563.R388H6 2012

 Conseil des Arts   Canada Council
du Canada   for the Arts

Nous reconnaissons l'aide financière du gouvernement du Canada par
l'entremise du Fonds du livre du Canada pour nos activités d'édition.

Gouvernement du Québec – Programme de crédit d'impôt pour
l'édition de livres – Gestion SODEC.

Les Éditions Québec Amérique bénéficient du programme de subvention
globale du Conseil des Arts du Canada. Elles tiennent également à
remercier la SODEC pour son appui financier.

Québec Amérique
329, rue de la Commune Ouest, 3e étage
Montréal (Québec) H2Y 2E1
Téléphone : 514 499-3000, télécopieur : 514 499-3010

Dépôt légal : 2e trimestre 2012
Bibliothèque nationale du Québec
Bibliothèque nationale du Canada

Projet dirigé par Marie-Josée Lacharité
Révision linguistique : Annie Pronovost
Mise en pages : Karine Raymond
Conception graphique : Nathalie Caron
Illustration en couverture : iStockphoto

Imprimé au Canada

FRANÇOIS GRAVEL

Québec Amérique

J'ai hésité longtemps avant
de présenter ce manuscrit à un
éditeur.

Chaque année, à l'anniversaire
de mon mariage avec Hò, je le
relisais d'une traite, je pleurais un
coup, puis je le rangeais dans le
tiroir de mon secrétaire, que je
fermais à clé. Comme ce tiroir est

en bois précieux et qu'il est tapissé de velours, j'avais l'impression de l'enfermer dans un cercueil. Un petit cercueil de rien du tout contenant les restes d'un homme mort trop jeune : Hò avait quatorze ans quand nous nous sommes mariés, il est devenu champion d'haltérophilie à quinze ans, et il est décédé à seize ans.

Quand je mourrai à mon tour, plus personne ne se souviendra de mon mari. Sa trop courte vie et ses horribles souffrances n'auront servi à rien.

Ce livre n'est pas un roman, mais le témoignage d'un jeune homme sur qui on a tenté des expériences atroces. Tout ce que vous lirez est rigoureusement vrai, même si cela paraît incroyable. Certains passages sont épouvantables et il faut avoir le cœur bien accroché pour passer au travers. Vous en êtes avertis.

Par mesure de sécurité, j'ai décidé de modifier les noms des personnes concernées et de ne jamais nommer précisément les lieux où l'action se déroule. Le régime politique du pays où nous sommes nés a beau avoir changé, le dictateur qui l'a écrasé si longtemps sous sa botte a encore de nombreux admirateurs, et certains d'entre eux sont aussi fanatiques que dangereux.

Il m'est arrivé de bouillir de rage en lisant certains passages dans lesquels Hồ chante les louanges de ce dictateur sanguinaire. J'ai eu envie de les biffer, mais je me suis retenue. J'ai préféré laisser parler Hồ, qui n'a jamais su la vérité au sujet de celui que j'ai rebaptisé Dao Kha. Je me suis contentée de rétablir la vérité du mieux que je le pouvais en ajoutant quelques notes en bas de page.

Certaines des opinions de Hồ risquent de vous choquer, j'aime autant vous prévenir. Mais si vous essayez de comprendre dans quel monde il vivait, peut-être réussira-t-il à se frayer un chemin jusqu'à votre cœur, malgré tout,

comme il l'a fait avec moi.
N'est-ce pas à cela que devraient
servir les mots ?

Lin

Où je suis

Dans six mois tout au plus, je serai mort. Mais mon pays, lui, ne mourra jamais. C'est pour aider les valeureux athlètes qui défendent fièrement ses couleurs que j'ai accepté d'écrire ces quelques lignes.

C'est ma seule motivation.

Dimanche dernier, Lin m'a apporté en cachette de petits papiers et des crayons minuscules que je peux dissimuler dans un trou du matelas. Quand je suis absolument certain que personne ne me regarde, je remplis ces papiers de mots. Dimanche prochain, Lin les reprendra et les emportera à la maison, cachés au fond de sa poche. Lin pense que le récit de ce qui m'est arrivé pourra être utile aux plus hautes autorités du pays et aidera ainsi à éviter que certaines erreurs se reproduisent. J'espère de tout cœur que c'est vrai. J'espère surtout que mes écrits ne tomberont pas dans les mains des saboteurs. Il faut se méfier d'eux. Ils sont partout.

Mais à bien y penser, comment pourrait-on me punir davantage que je le suis ? La moitié inférieure de mon corps est emprisonnée dans un corset de plâtre qui m'empêche de marcher, et je suis cloué au lit jusqu'à la fin de mes jours. Si on me garde encore en vie, c'est parce que je représente une source de précieuses matières premières : chaque jour, des infirmières viennent prélever des échantillons de mon sang, de ma salive et de ma peau pour que nos scientifiques puissent faire des expériences. Mais ce qui les intéresse par-dessus tout, c'est mon sperme. Il paraît que je produis encore des spermatozoïdes de qualité malgré tous les traitements que j'ai subis. Au cas où vous imagineriez que ces prélèvements sont agréables, je vous signale qu'il y a longtemps que je n'ai plus d'érection. Je n'ai aucun moyen de fournir ce sperme par moi-même et je n'y arriverais pas plus si j'avais l'aide d'une main experte. Les infirmières se procurent mon précieux liquide à l'aide d'aiguilles, et sans anesthésie. De toute façon, ce serait inutile, puisque je n'ai plus aucune sensation sous la ceinture.

La punition la plus cruelle que les autorités pourraient m'infliger serait de me priver des visites de Lin. Heureusement, elles n'en ont pas le droit : Lin et moi sommes mariés. Nous avons des documents officiels pour le prouver. Des documents qui portent le sceau de

Dao Kha en personne. Aucun médecin, aucun dirigeant n'oserait les contester.

Lin est très utile à nos scientifiques, puisque les infirmières profitent de ses visites pour effectuer toutes sortes de prélèvements sur elle aussi. Pour une raison que j'ignore, Lin ne pourra jamais avoir d'enfants, mais il semble que ses ovules peuvent encore être fécondés et transplantés chez des mères porteuses. Peut-être même qu'un de ces ovules a été fécondé par un de mes spermatozoïdes et que nous sommes sans le savoir parents d'un enfant. Peut-être que nos vies sont réunies à jamais, dans un autre corps, et que cette flamme brûlera encore longtemps, de génération en génération. Quand on sait qu'on va mourir bientôt, c'est une idée qui nous réconforte.

Mais cet enfant serait-il déjà conçu que je ne le connaîtrais jamais : dans six mois tout au plus, comme je l'ai dit plus haut, je serai mort. Je l'ai lu dans un dossier qu'un médecin a laissé traîner à ma portée. Il croyait sans doute que je suis analphabète, comme la plupart des athlètes. Avec un peu de chance – si du moins vous considérez comme une chance de rester cloué au lit, le tronc enfermé dans un corset – je pourrai peut-être survivre un ou deux mois de plus. Et si j'ai vraiment BEAUCOUP de chance, je pourrai célébrer mon dix-septième anniversaire, dans neuf mois et quatre jours.

D'ici là, je consacrerai tout mon temps à écrire l'histoire de ma vie, comme Lin me l'a demandé. Je le ferai avec autant d'acharnement que j'en ai mis à m'entraîner pour devenir haltérophile. Mon but n'est pas de me glorifier de quelque manière, mais d'aider les autorités de mon pays en leur faisant part de mes expériences et de mes réflexions. Je suis sûr qu'elles sauront tirer les leçons qui s'imposent et les utiliseront pour faire de notre pays un phare qui éclairera l'humanité de ses lumières éclatantes.

Lin m'a suggéré de commencer par décrire le lieu où je me trouve, pour que les gens sachent un peu mieux qui je suis et où je suis.

Je vis dans une chambre aux murs blancs, sans fenêtres et sans autre décoration qu'un immense portrait de Dao Kha, notre leader bien-aimé, le soleil de nos vies. Le plafond est blanc lui aussi, et il est composé de 188 tuiles entières, 28 demi-tuiles et 12 tuiles plus petites qui entourent les néons qui sont placés au milieu. Je me suis longtemps demandé s'il y avait des tuiles sous ces néons, mais je ne peux pas le vérifier. Quand on passe ses journées couché sans pouvoir lire ni parler, on se pose à soi-même ce genre de questions et on essaie d'y répondre comme on peut. Ça aide à ne pas devenir fou. J'ai aussi essayé de calculer combien chaque tuile comprenait de trous, mais je n'ai pas de très bons yeux et j'ai dû me contenter d'une approximation. D'après moi, il y a plus de 100 trous par tuile, ce qui donne un total de plus de 22 800 trous.

Deux compagnons partagent ma chambre, mais il m'est impossible de communiquer avec eux. Ils sont presque toujours inconscients et ne se réveillent que pour râler. D'après ce que je peux voir quand je réussis à tourner la tête, on leur fait, à eux aussi, des prélèvements de sang et de moelle osseuse, mais on ne semble pas s'intéresser à leur sperme.

Mon plus proche voisin s'appelle San, et il ronfle. Sa morphologie m'indique qu'il a dû être coureur de fond. C'est tout ce que je sais de lui. L'autre s'appelle He. Il a été gymnaste et il est aussi mal en point que San, sinon plus. Je l'entends respirer bruyamment, d'un souffle rauque et irrégulier. On dirait qu'il souffle dans un sac de papier percé. Chaque nuit, je m'attends à ce qu'il nous quitte et soit remplacé par un autre mourant, mais il s'accroche à la vie.

C'est à peu près tout ce qu'il y a à savoir sur ma condition actuelle : je regarde le plafond, je subis des prélèvements et je compte des trous. Je ne peux pas écouter de musique, mais ça ne me manque pas. Dao Kha dit que la musique ne doit pas servir à nous distraire, mais à stimuler nos sentiments patriotiques. Seuls les dégénérés pensent autrement.

Quand je vivais avec Lin, j'aimais bien lire des biographies des héros de notre pays et les œuvres complètes de Dao Kha, mais les livres sont interdits à l'hôpital. Quand j'ai demandé pourquoi, on ne m'a pas répondu. Je suppose que les saboteurs pourraient les utiliser pour se passer des messages secrets, ou quelque chose dans ce genre-là.

Grâce à Lin, j'ai maintenant une nouvelle activité. Quand je suis absolument certain de ne pas être vu, je prends un papier et j'écris. J'arrive à inscrire 50 mots de chaque côté d'une feuille, ce qui donne presque 100 mots par feuille[1]. Si jamais on demandait à Lin de vider ses poches en sortant de l'hôpital, elle n'aurait qu'à froisser ces petits papiers en boule : minces comme ils sont et imprégnés de sueur, ils deviendraient vite illisibles. Tant pis pour les saboteurs qui voudraient s'en emparer !

Quand je ne peux pas écrire et que je me lasse de compter les trous au plafond, j'utilise celui-ci comme écran pour me projeter en boucle le film de ma vie. Je suis content quand je peux me

---

1   Ces feuilles étaient à peine plus grandes que des papiers à rouler des cigarettes, mais je n'avais pourtant aucun mal à les lire. Hò faisait preuve de beaucoup de précision et de finesse pour un homme de son gabarit, et sa capacité de concentration était exceptionnelle.

rappeler un détail que j'avais oublié : comme je n'ai pas d'avenir, je ne peux trouver de la nouveauté que dans le passé. C'est ce film que je veux maintenant essayer d'écrire.

L'enfance d'un champion

Mes souvenirs les plus lointains re-
montent à mes quatre ans. Je vivais alors
dans une famille à qui on avait confié la
garde de futurs athlètes. Nous étions six
garçons du même âge, six champions en
devenir.

La femme qui s'occupait de nous
s'appelait madame Wo. Elle lavait nos
vêtements, nous mesurait, nous pesait.
Nous avions le droit de l'appeler *maman*.
Hui, son mari, s'occupait des animaux

de la ferme. Nous avions le droit de l'appeler *papa*, mais jamais *père*. Ce mot était réservé à notre grand leader Dao Kha, le soleil de nos vies, dont nous pouvions admirer la photo dans notre chambre. Il y avait aussi un portrait de lui dans le salon, un autre dans la cuisine, et un autre enfin dans notre salle d'entraînement[2].

Chaque soir, avant de nous envoyer au lit, madame Wo nous faisait réciter en chœur les remerciements à Dao Kha :

> *Bonne nuit à toi, Dao Kha,*
> *Bonne nuit, notre très cher père,*

---

2 Dao Kha avait une totale emprise sur la police et sur l'armée, sur les journaux et sur les écoles, mais surtout sur nos esprits. On voyait sa photo dans toutes les salles de classe, sur la façade de chaque édifice public, et dans chaque pièce de chaque maison – je vous jure que je n'exagère pas. S'il n'y avait qu'une rue dans un village, elle portait le nom de Dao Kha. Chaque agglomération, chaque bourgade avait sa statue de Dao Kha. Si tel n'était pas le cas, le maire était convoqué dans la capitale pour s'expliquer et il s'expliquait parfois si longuement qu'il ne revenait jamais…

*Tu commandes au soleil de se coucher,
et il se couche.*

*Tu commandes à la lune de se lever, et
elle se lève.*

Grâce à toi, nous bâtissons notre pays !

*Grâce à toi, nous viendrons à bout de
nos ennemis !*

Ta pensée nous rend invincibles !

*Gloire à toi, Dao Kha, gloire à toi pour
l'éternité !*

Madame Wo éteignait ensuite la lumière, et nous nous endormions en rêvant à notre grand leader.

Comme tous les enfants du pays, je croyais que Dao Kha était mon véritable père et qu'il viendrait un jour me chercher pour affronter nos ennemis. J'imaginais qu'il me convoquait dans son palais et qu'il me disait : « J'ai une mission à te confier, mon fils : va te battre pour moi, et reviens-moi avec les lauriers de la victoire ! » J'avais entendu parler des *lauriers de la victoire* dans notre hymne national. J'ignorais ce que c'était exactement, mais je trouvais les mots très beaux. J'imaginais que je montais sur un cheval blanc et que je me battais à ses côtés, ou alors que je pilotais un avion ou un navire de guerre. Grâce à la pensée de Dao Kha, je gagnais toutes les batailles qu'on me confiait. Et une fois la guerre terminée, il m'invitait à m'installer avec lui dans son palais.

Ce n'est que beaucoup plus tard que j'ai su la vérité à propos de mes parents biologiques. Qiu, mon responsable politique, m'a expliqué que mon père s'appelait en fait Lio et qu'il détenait deux records nationaux en haltérophilie. An, ma mère biologique, avait été championne du pays en haltérophilie dès l'âge de dix-sept ans et progressait si rapidement qu'elle aurait pu devenir championne olympique et offrir une médaille d'or à Dao Kha. Malheureusement, elle s'est blessée à l'entraînement et nos médecins n'ont pas pu la réparer. Les autorités sportives l'ont alors convoquée pour lui expliquer qu'elle devait avoir un enfant avec Lio afin de transmettre son bagage génétique, qui était considéré comme un trésor national. An était déjà mariée, tout comme Lio, mais toutes les parties concernées ont accepté sans protester. C'était en effet un très grand honneur pour eux d'avoir été choisis pour produire un champion. Ils se sont donc acquittés de leur devoir, et je suis né de cette union. Ma mère m'a nourri au sein pendant six mois, comme le recommandaient les médecins, puis les autorités m'ont confié à madame Wo. Inutile de dire que je n'ai aucun souvenir de ma mère biologique, et encore moins de mon père.

Je n'ai jamais eu de leurs nouvelles par la suite. J'ai rencontré plus tard quelqu'un qui venait du village où habitait ma mère. Il m'a raconté qu'elle avait désobéi à Dao Kha en cherchant à me revoir, et qu'elle avait été expédiée dans un camp de travail. J'ai préféré ne pas le croire : les saboteurs colportent beaucoup de ragots semblables pour discréditer notre pays, et il est plus sage de se boucher les oreilles. De toute façon, si ma mère a vraiment désobéi à Dao Kha, elle méritait d'être punie.

Qiu m'a recommandé de les oublier à tout jamais, et il a bien raison. N'est-ce pas plutôt à Dao Kha que je dois la vie ? C'est lui qui a choisi mes parents pour que j'hérite de leur bagage génétique. C'est donc à lui que va ma reconnaissance, à lui que je dois respect et obéissance.

J'ai peu de souvenirs de mon séjour dans cette ferme. Madame Wo nous réveillait tôt le matin, nous donnait notre ration de protéines, puis nous confiait à mademoiselle Ma, une spécialiste en activités physiques. Celle-ci nous montrait à nous battre comme des lutteurs de sumo, à courir, à nager, à lancer des poids, des disques et des javelots, et à sauter par-dessus des obstacles. Nous nous entraînions toute la matinée, et nous nous arrêtions pour le repas du midi, qui était toujours constitué de galettes de protéines et de suppléments vitaminés.

Quand nous avions du temps libre, nous courions nous occuper des animaux avec monsieur Hui. Nous pouvions leur donner de la moulée, et même égorger des poules. Pour avoir droit à cette récompense, il fallait cependant les attraper. C'était très difficile, mais mademoiselle Ma disait que c'était un excellent exercice.

Le soir, avant de nous coucher, Madame Wo nous racontait des passages de la vie de Dao Kha, notre leader bien-aimé, le soleil de nos vies. Elle nous disait que le jour de sa naissance, trois nouvelles étoiles sont apparues dans le ciel, et un gigantesque arc-en-ciel a recouvert notre pays d'un bout à l'autre pendant toute une journée. Elle nous disait aussi que si nous passions devant le palais de notre leader bien-aimé, nous apercevrions la lumière de son bureau, qui reste allumée toute la nuit : Dao Kha ne dort jamais et travaille sans répit pour améliorer notre sort.

Mes histoires préférées étaient celles qui se déroulaient pendant la guerre. Dao Kha était pilote d'un avion de chasse. Un jour, son avion a été encerclé par une douzaine d'avions ennemis. Il en a abattu onze à lui seul ! Le pilote du douzième avion, voyant qu'il n'avait aucune chance, a alors pris la fuite. Plutôt que de rentrer à sa base, Dao Kha a décidé de le poursuivre. Il a ainsi repéré le porte-avions d'où était parti l'avion ennemi, et l'a détruit !

Une autre de ces histoires se déroulait dans le désert. Dao Kha avait été fait prisonnier par des ennemis qui l'avaient torturé pendant quarante jours, le privant d'eau et de protéines. Le croyant mort, ils l'avaient enterré sous une montagne de lourdes pierres. Mais nos ennemis avaient sous-estimé la force de la pensée de Dao Kha. « Si je suis encore en vie, se disait-il, je peux encore me battre. Et si je peux me battre, je *dois* me battre. Je suis peut-être enterré sous une montagne de pierres, mais au moins je n'ai plus de fers aux poignets ! Enlevons ces pierres une à une ! » Non seulement avait-il réussi à sortir de sa prison, mais il avait détruit le camp ennemi et libéré tous les prisonniers qui s'y trouvaient !

J'adorais les histoires de Dao Kha. Encore aujourd'hui, je ne peux pas y penser sans me sentir gonflé de fierté et de courage.

À cinq ans, j'ai dû quitter la maison de madame Wo. Comme j'étais triste, mademoiselle Ma m'a pris à part pour m'expliquer ce que Dao Kha attendait

de moi : j'irais dans un camp de pionniers avec tous mes camarades, je serais
traité par les meilleurs médecins et je
n'aurais rien d'autre à faire que m'entraîner pour devenir champion.

Ces paroles ne m'ont pas consolé, et
je continuais à pleurer. Je voulais rester
avec madame Wo et monsieur Hui. C'est
alors que mademoiselle Ma m'a dit
quelque chose que je n'ai jamais oublié :
Dao Kha avait-il pleuré, lui, quand il
avait été enterré sous une montagne de
lourdes pierres ? Non ! Il avait été coura-
geux et il s'était battu ! Si je continuais
à être triste et faible, Dao Kha finirait
par le savoir et serait sûrement fâché
que je me montre si ingrat envers lui.
« Qu'est-ce que c'est que ce mollasson ?
se dirait-il. Je n'ai pas besoin de gue-
nilles comme lui pour bâtir mon pays ! »
J'ai aussitôt ravalé mes larmes. Mademoiselle Ma avait raison : était-ce une
bonne façon de remercier celui dont le
soleil éclairait mon existence, et qui

avait été si bon pour moi ? S'il m'est arrivé parfois de me sentir triste dans la suite de ma vie – quand Lin subissait ses douloureuses opérations, par exemple – je m'efforçais de n'en rien laisser paraître et d'extirper de mon cœur ce sentiment négatif. Mademoiselle Ma m'avait donné une grande leçon : la tristesse n'est pas un sentiment patriotique.

Mon arrivée au camp des pionniers

Mes camarades et moi avons quitté la ferme dans un autobus dont les fenêtres avaient été obstruées par des cartons opaques. Les gardiens nous ont expliqué que ces cartons avaient été placés là pour des raisons de sécurité et que nous ne devions les enlever sous aucun prétexte. Nous leur avons évidemment obéi sans protester : ils étaient grands et très costauds, ils étaient vêtus d'uniformes de l'armée et portaient même des carabines en bandoulière. On aurait dit qu'ils escortaient un trésor. À bien y penser, c'est un peu ce qu'ils faisaient : nous représentions de grands espoirs olympiques, et les saboteurs avaient sûrement des plans pour nous éliminer. C'est pour ça qu'il fallait rester cachés.

C'était la première fois que j'entendais parler des « raisons de sécurité », mais pas la dernière. C'était pour des « raisons de sécurité » que nous n'avions pas le droit d'écrire ni de posséder du papier et des crayons, ou de nous réunir sans la présence d'un gardien ou d'un entraîneur, ou de parler entre nous des opérations que nous subissions ou de ce que les nutritionnistes ajoutaient à nos protéines. C'était aussi pour des « raisons de sécurité » qu'il ne fallait pas poser de questions à propos de la sécurité.

Ces interdictions étaient parfois difficiles à comprendre pour les enfants que nous étions, mais j'en ai compris le bien-fondé quelques années plus tard, lorsque j'ai eu la chance de suivre des cours de politique. Qiu nous a alors expliqué que notre pays était entouré d'ennemis prêts à toutes les perfidies pour nous détruire. Comme ces ennemis craignaient d'affronter notre puissante armée, ils préféraient envoyer des saboteurs parmi nous pour nous attaquer de l'intérieur. Ces saboteurs dynamitaient parfois des usines et empoisonnaient l'eau des rivières, mais ils pouvaient agir plus sournoisement encore. Certains d'entre eux se promenaient partout en chantant les louanges de notre leader bien-aimé, si bien qu'on ne s'en méfiait pas. Ils travaillaient dans l'ombre pendant des années et gravissaient lentement les échelons de l'administration. Il s'en trouvait même dans la police et l'armée! Ce n'est que lorsqu'ils atteignaient un poste de commande qu'ils distillaient leur venin. Plutôt que de s'attaquer aux trains, ils mettaient en doute la pensée de Dao Kha! Peut-on imaginer pire fourberie? Qiu avait conclu son exposé avec une phrase que je n'oublierai jamais: *le doute cause parfois plus de tort que des bâtons de dynamite*.

Tout cela, je le répète, je l'ai compris bien plus tard. Pour le moment, je n'avais que cinq ans, et j'étais assis dans un autobus qui roulait depuis des heures sur des chemins cahoteux. L'enfant qui était assis à mes côtés s'était endormi dès le début du voyage, et je n'avais personne à qui parler. C'est alors que j'ai remarqué que le carton qui obstruait ma vitre avait été mal collé. Mon cœur s'est mis à battre très fort. En appuyant ma tête contre le bord de la fenêtre, comme je l'aurais fait pour dormir, je pouvais voir à l'extérieur de l'autobus. Je ne voulais pour rien au monde désobéir à nos gardiens, mais je me sentais en même temps poussé par une curiosité bien naturelle. Après tout, est-ce qu'on peut s'attendre à ce qu'un enfant de cet âge ait assimilé toutes les subtilités de la pensée de Dao Kha, dont s'éloignent parfois certains adultes pourtant avertis ?

La curiosité a donc fini par l'emporter. J'ai appuyé ma tête contre la vitre et j'ai fermé les yeux à demi pour faire croire que je somnolais. Dehors, j'ai vu des femmes attelées comme des bêtes tirer des charrettes sur des routes de terre. Des colonnes de prisonniers défiler, fers aux pieds, escortés par des gardes armés. Des enfants décharnés fouiller dans les dépotoirs, pieds nus. À cinq ans, il arrive souvent qu'on ne comprend pas ce que l'on voit, mais notre cerveau est comme une caméra qui enregistre toutes les images.

Huit ans plus tard, j'ai fait un autre voyage en autobus pour participer à un championnat. Les fenêtres étaient encore obstruées par des cartons, mais comme j'étais assis tout juste derrière le chauffeur, je n'ai pas pu faire autrement que de voir des scènes semblables défiler sous mes yeux horrifiés. J'étais alors plus apte à juger, et je me suis posé de nombreuses questions dont je n'ai bien sûr jamais parlé à personne, pas même à Lin. Je me suis souvent demandé si Dao Kha était au courant de cette misère. J'y ai réfléchi très longtemps, et j'ai fini par me dire que c'était impossible : s'il avait su que des enfants en étaient réduits à fouiller dans les poubelles pour manger, il aurait travaillé jour et nuit à trouver une solution, et son formidable cerveau en aurait assurément trouvé une. Quelqu'un lui cachait donc la vérité, c'était certain. Peut-être s'agissait-il d'un saboteur qui avait gravi les échelons de l'administration pour détruire notre pays ? Je me suis alors mis en tête qu'un jour, si j'en avais la possibilité, je dirais à Dao Kha ce que j'avais vu ce jour-là, mais que je garderais le silence en attendant.

Mais revenons à mon tout premier voyage et au grand bonheur qui m'attendait à la sortie de l'autobus.

J'étais enfin arrivé au camp des pionniers, un endroit féerique où j'allais passer le reste de ma vie. Aménagé dans un ancien hôtel qui appartenait autrefois à des ennemis de notre pays, ce camp est situé au bord d'un lac si grand que nous ne pouvons pas apercevoir l'autre rive, même par temps clair. Le bâtiment principal est un immense édifice blanc, avec des colonnes et des balcons, et entouré de fleurs, de piscines, de fontaines et de bassins. Il est presque aussi grand et aussi beau que le palais de Dao Kha, devant lequel j'ai défilé le jour de la fête nationale.

Nos nouveaux entraîneurs nous ont fait visiter les lieux en nous expliquant qu'avant la Révolution, cette plage était jonchée de touristes riches et obèses, qui passaient leurs journées à se faire cuire le ventre au soleil. On mettait à la disposition de ces exploiteurs des canots et des pédalos, mais ils étaient trop paresseux pour les utiliser. Ces étrangers allaient parfois au gymnase et à la piscine, mais ce n'était que pour dépenser le surplus de calories qu'ils avaient ingurgitées dans la journée. Quand ils ne lézardaient pas au soleil, ils se goinfraient en effet de nourritures diverses, épuisant les ressources de nos meilleures terres, et ils passaient la soirée à danser sur de la musique de dégénérés.

Aujourd'hui, cet hôtel est utilisé pour développer l'élite sportive de notre patrie, et les jeunes y sont accueillis selon leur mérite. N'est-ce pas là, encore une fois, la preuve écrasante de la supériorité de notre pays ? N'est-ce pas de cette façon que les choses devraient se passer partout sur la planète ? Voilà ce que Dao Kha voulait dire lorsqu'il parlait de remettre le monde à l'endroit ! Gloire lui soit rendue !

Plus je visitais les installations, plus je me sentais fier de mon pays, et je suis encore tout aussi fier en écrivant ces lignes. Peut-être y a-t-il eu çà et là quelques erreurs commises par certains dirigeants trop enthousiastes – et je dis bien *peut-être* –, peut-être aussi avons-nous parfois manqué de vigilance envers les traîtres et les saboteurs, mais personne ne m'enlèvera jamais de la tête que c'est là une des plus grandes réussites de notre pays.

Nous sommes ensuite allés visiter les chambres où nous dormirions. Il paraît qu'autrefois, chaque couple de touristes jouissait d'une immense chambre avec un balcon et une salle de bain privée. Il arrivait même, comble du gaspillage, que l'un d'eux dorme seul dans une chambre munie d'une douche ET d'une baignoire ! Qu'avaient-ils besoin de cela de toute façon, nous demandaient nos guides, puisqu'ils étaient à deux pas du lac ? Et songez un peu, ajoutaient les entraîneurs en faisant un tourbillon avec leur index à hauteur de leur tempe pour que nous comprenions bien à quel point les étrangers étaient fous, qu'ils avaient accès en plus non pas à une, mais à DEUX piscines ! Fallait-il qu'ils se sentent sales pour éprouver le besoin de tant se laver ! Ce qu'ils auraient dû laver, c'était leurs sales idées de décadents lubriques ! J'étais mort de rire, comme tous les enfants. Quel immonde gaspillage ! Ces étrangers me dégoûtaient.

Depuis la Révolution, on loge six jeunes athlètes par chambre, plus un entraîneur et un responsable politique. Bien entendu, les garçons et les filles vivent sur des étages séparés. Seuls le directeur du camp et les responsables politiques de haut niveau ont droit à des chambres privées, pour des raisons de sécurité.

Au terme de cette visite, on nous a donné nos uniformes, symboles de notre nouvelle vie. Je n'ai jamais été aussi fier que lorsque le directeur m'a tendu la veste bleue, la chemise blanche, le pantalon gris et le foulard rouge que j'ai fièrement portés par la suite à chaque cérémonie officielle.

Nous avons ensuite été réunis dans la grande salle de l'hôtel, autrefois appelée la salle de bal, pour y être officiellement accueillis chez les pionniers. Nous défilions un à un devant les responsables du camp, et nous nous engagions solennellement à consacrer le meilleur de nos énergies au sport, afin que le monde entier puisse constater la supériorité de la pensée de Dao Kha, notre leader bien-aimé, le soleil de nos vies. J'ai prononcé ma promesse à voix haute, et je me la suis répétée silencieusement le soir même, dans ma chambre, devant la photo de Dao Kha. J'étais déterminé à travailler le plus fort possible, pour sa plus grande gloire.

Évidemment, je ne savais pas encore que je servirais de cobaye pour toutes sortes d'expériences médicales et que certaines d'entre elles seraient atrocement douloureuses. M'aurait-on averti de ce qui m'attendait que cela n'aurait pas diminué mon enthousiasme. J'étais prêt à tous les sacrifices pour satisfaire Dao Kha.

Ma vie de pionnier et mes premiers records

Je ne peux pas imaginer vie plus heureuse que celle des jeunes pionniers. De sept à dix ans, les enfants doivent pratiquer tous les sports afin de développer leur corps de façon harmonieuse. Notre travail, si on peut dire, est de jouer pendant toute la journée : athlétisme, natation, course, jeux collectifs, haltérophilie, tir à l'arc, sports de combat, rien n'est oublié. En plus de nous transmettre leurs connaissances, les entraîneurs ont la mission de détecter l'activité qui nous conviendra le mieux lorsque nous commencerons notre entraînement spécialisé. Il n'est pas rare en effet qu'un enfant conçu pour devenir nageur, comme ses parents, se révèle un lutteur exceptionnel. Si la génétique est responsable d'un grand nombre de caractéristiques physiques, elle ne saurait expliquer les nuances du caractère, qui sont tout aussi importantes pour les athlètes de haut niveau.

Pour ma part, j'ai su dès les premières semaines quelle voie prendrait mon destin. J'étais, à n'en point douter, le dépositaire des qualités génétiques de mes parents biologiques. Si j'éprouvais un plaisir certain à frapper dans un ballon ou à terrasser un adversaire au judo, mon bonheur était décuplé quand je réussissais à soulever des haltères. J'aimais sentir mes muscles se bomber sous l'effort, et de délicieuses vagues de chaleur me parcouraient alors les veines.

Je me sentais plus fort que la fonte, plus solide que l'acier.

Pendant le temps que nous ne passions pas à faire du sport, on nous confiait à des médecins qui étaient de véritables ingénieurs du corps humain. Ils nous pesaient, nous palpaient, nous auscultaient, ils mesuraient nos bras, nos mains, nos doigts, nos jambes, bref tout ce qui était mesurable, y compris nos organes génitaux. Ils calculaient les battements de notre cœur, prenaient notre pouls et notre pression et prélevaient des gouttes de sueur pour en mesurer la salinité. Ils collaient des électrodes sur nos muscles et nous demandaient de répéter certains gestes des dizaines de fois, en modifiant les paramètres : on nous demandait par exemple d'inspirer ou d'expirer, ou alors de retenir notre souffle, d'accélérer ou de ralentir la vitesse d'exécution, d'ingurgiter certains suppléments vitaminés, et ainsi de suite durant des heures.

C'est en écoutant ces médecins et en regardant les chiffres que je voyais sur les cadrans que j'ai développé mon goût pour les mathématiques. Ces médecins m'auraient-ils dénoncé s'ils avaient su que je m'amusais à faire des calculs ? Je ne le crois pas, mais je préférais ne pas courir ce risque. Quand on ne pose pas de questions, on ne risque pas d'être déçu par les réponses.

Le soir, nos responsables politiques nous lisaient des exploits de Dao Kha, ou encore des extraits de ses livres de philosophie, dont nous apprenions par cœur de longs passages, en y mettant tout notre enthousiasme.

Une fois par mois, nous avions droit à une séance de cinéma. On nous projetait des films à la gloire de notre armée. Nous applaudissions quand nous voyions défiler des soldats et des chars d'assaut, mais notre joie était à son comble quand nous assistions aux prouesses de nos pilotes d'avion de chasse. Si nos ennemis voulaient nous envahir, ils n'avaient qu'à bien se tenir !

Le plus beau jour de l'année était l'anniversaire de la Révolution, le 12 août. On nous emmenait en autobus dans la capitale pour la parade militaire. Les deux cents enfants du camp étaient alors réunis en cohortes de dix pionniers, vêtus de costumes de cérémonie et marchant au même pas. Nous ne portions pas nos chaussures ordinaires ce jour-là, mais des bottes brillantes, munies de fers au talon, qui ne servaient que pour cette occasion. Nous étions tous très émus quand nous passions devant la tribune des dignitaires. Nous savions que Dao Kha lui-même s'y trouvait, mais nous n'avions pas le droit de regarder dans sa direction, de crainte de troubler notre concentration. Il nous fallait maîtriser nos émotions et ne penser qu'à nos pas pour

ne plus entendre qu'un seul bruit, am-
plifié deux cents fois : tac, tac, tac…

Quand j'ai eu dix ans, on m'a accordé l'insigne privilège de porter notre
drapeau national, à la tête de la pro-
cession. Il fallait être très costaud pour
tenir cette lourde hampe si longtemps,
sans parler du drapeau lui-même, presque aussi pesant que la hampe, et qui
était battu par le vent. Je ne peux pas
trouver les mots pour décrire la fierté
qui m'habitait : c'est moi qui avais
ouvert la parade, donnant le pas aux
pionniers, lesquels étaient suivis par
les soldats de la marine, puis par les
troupes d'élite de l'armée de terre avec
leurs chars, et enfin par les pilotes de
nos avions de chasse. J'étais si heureux
que j'ai failli m'envoler, malgré tout le
poids que je portais.

Encore aujourd'hui, à la veille de
mourir, je ressens une telle bouffée
d'émotion en écrivant ces mots que

j'en ai les larmes aux yeux. Sans doute devrais-je combattre cette sensiblerie, mais je ne peux vraiment pas m'en empêcher. Et puis est-ce faire preuve de sensibilité excessive que de verser une larme à la vue du drapeau de son pays ? N'est-ce pas là au contraire une preuve de patriotisme ? Ce jour-là, j'ouvrais le grand défilé du 12 août et je marchais devant Dao Kha, notre père à tous et le soleil de nos vies ! Personne ne pourra jamais m'enlever ce précieux souvenir[3].

J'ai connu un autre plaisir incomparable et j'aimerais en parler tout de suite au cas où mon état de santé empirerait plus rapidement que prévu.

---

3 *Nous savons maintenant que Dao Kha ne paraissait jamais sur l'estrade le jour du défilé, craignant qu'on attente à ses jours. Les photos qu'on voyait dans les journaux du lendemain étaient trafiquées. Il semblait d'ailleurs toujours très grand sur ces photos, alors qu'il ne mesurait en vérité que cinq pieds.*

Cela s'est passé quand j'avais onze ans. Un de mes entraîneurs m'avait préparé secrètement en vue du spectacle que nous donnions toujours le samedi après-midi pour couronner notre semaine de travail. Les meilleurs parmi nous étaient alors conviés à faire une démonstration de leurs performances devant tous les enfants du camp.

Quand mon tour est venu, je suis monté sur la scène, où on avait disposé des haltères. Mon entraîneur a alors annoncé que je soulèverais un poids de soixante kilos, ce qu'aucun enfant de mon âge n'avait encore réussi, ni même tenté. Je me suis enduit les mains de magnésie, je me suis approché de la barre, que j'ai empoignée solidement et que j'ai soulevée à l'arraché. Je l'ai tenue longtemps au-dessus de ma tête, sous les applaudissements nourris de l'assistance. Mon entraîneur a alors annoncé que je soulèverais cinq kilos de plus. Je me suis encore une fois enduit les mains de magnésie tandis qu'il ajoutait les poids, et j'ai bien pris mon temps avant de m'approcher de la barre. Je savais que j'en étais capable, mais je voulais faire monter la tension dramatique. Certains haltérophiles perdent leurs moyens quand ils sont devant une foule, mais cela n'a jamais été mon cas. Je me sens au contraire encore plus fort et j'aime faire durer le plaisir. J'ai finalement saisi les haltères et je les ai soulevés d'un seul coup au-dessus de ma tête. Pour libérer l'énergie qui m'habitait, j'ai crié très fort mon nom : HÒ !

Les applaudissements ont fusé, une fois de plus. On aurait dit qu'ils me pénétraient jusque dans les muscles et me donnaient encore plus de force. On aurait dit que la fonte s'était transformée en plumes. J'adorais ça.

C'est alors que mon entraîneur a fait taire la foule d'un geste autoritaire.

— Voulez-vous que notre camarade Hô soulève un poids encore plus lourd ? a-t-il demandé.

Il connaissait évidemment la réponse à l'avance, et tous les enfants ont hurlé un grand « oui ! ».

Il a ajouté deux kilos de plus à la barre, et il est allé s'asseoir dans la salle. Je me suis approché de la barre, je me suis installé, mais j'ai fait non de la tête et j'ai reculé de trois pas. Mon entraîneur a bondi vers moi en fronçant les sourcils, fâché que je ne suive pas le scénario prévu.

— Ce n'est pas suffisant ! ai-je alors dit très fort, pour que tout le monde m'entende. Je veux un kilo de plus !

Mon entraîneur a obéi, et il est retourné une fois de plus s'asseoir dans la salle. Tandis que l'assistance retenait son souffle, je me suis approché à nouveau et j'ai soulevé le poids. Cette fois-ci, tous les pionniers ont crié HÒ! en même temps que moi, comme s'ils voulaient ajouter leur force à la mienne, et ils ont continué à répéter mon nom de plus en plus fort tandis que je tenais la barre au-dessus de ma tête.

J'ai vécu cette scène à de nombreuses reprises par la suite, et chaque fois j'ai ressenti un plaisir indescriptible à entendre mes camarades crier mon nom. Je tiens à préciser ici que si le destin avait voulu que ce soit moi qui reçoive les applaudissements, je n'ai jamais douté que c'était avant tout mon pays qu'on applaudissait, ce grand pays dirigé par Dao Kha, notre entraîneur suprême, le champion mondial de la pensée. C'est à lui que je devais cette victoire.

Si j'ai vécu des instants de gloire, je suis aussi passé par des moments plus difficiles. Je crois que le temps est maintenant venu d'en parler.

Tous les pionniers mangeaient ensemble, à la cantine, et nos repas étaient exclusivement composés de protéines et de suppléments vitaminés préparés pour maximiser nos performances. Les protéines prenaient toujours la forme de biscuits, et les suppléments vitaminés nous étaient servis en comprimés souvent difficiles à avaler, surtout pour de jeunes enfants. Il n'était pas rare que nous devions en prendre une trentaine au cours du même repas. Il fallait boire beaucoup d'eau pour réussir à les ingurgiter.

Aurait-on pu diminuer la quantité ou la grosseur des comprimés pour favoriser leur absorption ? Je n'ai aucun doute que nos nutritionnistes s'y employaient avec énergie en s'inspirant de la pensée de Dao Kha, mais la science ne peut pas faire de miracles, et les résultats, hélas, n'étaient pas à la hauteur de leurs espérances. Cela, je peux le comprendre : personne ne peut s'améliorer sans s'entraîner, et cela vaut pour les scientifiques autant que pour les haltérophiles. Ce que je voudrais cependant critiquer, c'est cette pratique qui consistait à distribuer à tous les jeunes du camp les mêmes suppléments vitaminés sans avoir d'abord mené des expériences sur des groupes plus restreints. Je me souviens d'un comprimé jaune que tout le monde a consommé au cours du même repas et qui nous a tous rendus malades, sans exception. Nous avons vomi pendant deux jours, et certains ont dû garder le lit pendant près d'une semaine. Des enfants plus gravement atteints ont même été hospitalisés à l'extérieur du camp et ne sont jamais revenus. Nous n'avons jamais revu ces comprimés par la suite, et nous n'avons eu droit à aucune explication ni à aucune excuse.

Nous avons traversé de dures épreuves pendant cette épidémie. Nous étions enfermés dans nos chambres, d'où il nous était interdit de sortir. Les draps étaient souillés, et il n'y avait aucun moyen de les remplacer. Ceux qui dormaient par terre n'avaient pas plus de chance : les tapis étaient tout aussi sales, et dégageaient une puanteur abominable. Des rumeurs se sont alors mises à courir selon lesquelles nous étions victimes de saboteurs et que nous allions tous mourir. Les plus petits passaient leur temps à pleurer et à gémir, sans que les plus grands puissent dire quoi que ce soit pour les consoler. Où étaient nos responsables politiques pendant ce temps-là ? Pourquoi ne venaient-ils pas nous aider, nous rassurer ?

La situation a mis une semaine à se rétablir, et pas une fois durant cette semaine nous n'avons eu de leurs nouvelles. Lorsque les responsables sont revenus, ils nous ont simplement ordonné de ne jamais poser de questions sur ce qui était arrivé. Ils nous ont aussi interdit de parler de ces événements aux nouveaux pionniers qui remplaceraient ceux qui avaient disparu. Il ne fallait pas les inquiéter ni les démoraliser. Tout ce qui pourrait distraire leur concentration nuirait à leur entraînement et serait donc considéré comme un acte de sabotage.

Nous avons fait le ménage de nos chambres du mieux que nous le pouvions. Nous avons arraché les tapis (qui n'ont jamais été remplacés) et jeté les draps souillés. Les nouveaux draps qu'on nous a donnés étaient cependant de qualité très inférieure, comme s'ils avaient été tissés avec des crins de cheval. Plus personne n'a osé aborder la question par la suite. Tout le monde faisait comme si ces événements n'avaient jamais eu lieu[4].

Est-ce une bonne façon d'affronter les problèmes que de nier leur existence? J'ai pensé souvent à Dao Kha, qui avait déplacé une montagne de pierres: aurait-il pu y arriver si on lui avait dit que cette montagne n'existait pas? Plus j'y pensais, plus je me disais qu'il n'aurait pas agi ainsi. Il aurait pris le taureau par les cornes et nous aurait

---

4 Je me souviens moi aussi de ces horribles journées. Jamais je n'aurais cru possible de vomir autant, ni aussi longtemps. Hô attribue cette maladie aux comprimés jaunes, mais je n'en suis pas convaincue. À la réflexion, il m'apparaît bien plus probable que ce soit l'eau qui ait été en cause, ce qui expliquerait que tout le personnel du camp ait été affecté par les mêmes symptômes et que personne n'ait pu nous aider à traverser cette épreuve. On nous a d'ailleurs interdit de consommer l'eau qui s'écoulait des robinets de nos chambres par la suite. Elle était souvent brunâtre et repoussante, comme si les robinets avaient été connectés directement sur les égouts. Seule l'eau du lac était potable – la plupart du temps, du moins.

incités à nous battre, sans rien nous cacher des difficultés que nous aurions à affronter.

Mais cette épreuve n'était qu'un avant-goût de ce qui allait suivre.

Comment la science de mon pays a fait de moi un athlète supérieur

À l'âge de douze ans, les pionniers étaient réunis en patrouilles immuables. Ces patrouilles comptaient habituellement six membres. Nous partagions la même chambre et nous mangions à la même table à la cantine, mais nous ne pratiquions pas nécessairement les mêmes sports. Ma patrouille était formée d'un gymnaste, un nageur, un haltérophile, un lutteur, un coureur de courtes distances et un sauteur à la perche. Il n'y avait aucune compétition entre nous, mais plutôt un puissant sentiment d'entraide et de solidarité, ce qui n'excluait pas une vigilance de tous les instants : si nous pensions détecter de mauvaises attitudes chez un camarade, il fallait absolument le dénoncer à notre responsable politique, sans quoi nous aurions pu être accusés de sabotage.

Qiu, notre responsable politique, était si chétif et si pâle qu'il avait tout juste assez de force pour soulever ses lunettes. Je n'ai cependant jamais vu personne se moquer de lui ou lui manquer de respect. Nous l'écoutions toujours avec déférence, convaincus que c'était dans notre intérêt. Il était un athlète de la politique et avait toujours réponse à tout. Un seul mot de sa part aurait suffi à nous exclure du camp à tout jamais. S'il nous avait soupçonnés de trahison, il aurait pu nous faire fusiller sur-le-champ.

Je n'ai heureusement jamais eu à dénoncer un membre de ma patrouille. Mes compagnons étaient des athlètes entièrement dévoués à leur discipline et passaient leurs journées à s'entraîner. Dah, le gymnaste, a eu l'honneur de représenter notre pays dans des compétitions internationales de très haut niveau. Nous étions tous très fiers de lui. Comme il était le seul de notre patrouille à avoir pris l'avion et visité des pays étrangers, nous le pressions de questions à propos de ce qu'il avait vu. Il nous répondait chaque fois que sa plus grande joie avait été d'entendre jouer notre hymne national quand il était monté sur le podium, mais qu'il avait été plus heureux encore de rentrer au pays. Ceux qui insistaient étaient vite rappelés à l'ordre par Qiu. « Prenez exemple sur Dah, nous disait-il. Il se comporte comme un vrai patriote ! »

Si sa progression n'avait pas été interrompue par une stupide fracture du poignet, Dah aurait sûrement remporté une médaille olympique pour Dao Kha. Malheureusement pour lui, cet accident s'est produit à l'étranger. Évidemment, on ne peut pas s'attendre à ce que les équipements des autres pays soient aussi sécuritaires que les nôtres, ni à ce que leurs médecins soient aussi compétents. Ceux-ci ont-ils volontairement tardé à mettre un plâtre à Dah dans le but de nuire à ses performances futures, comme l'a laissé entendre Qiu ? La chose est fort possible, sinon probable. Nos ennemis sont prêts à toutes les bassesses pour empêcher notre pays de briller sur la scène internationale. Mais quelles qu'aient été les intentions de ces médecins, le résultat a été désastreux : la fracture n'a jamais bien guéri, et Dah a dû abandonner la compétition. Il avait treize ans quand je l'ai vu pour la dernière fois. J'ai un peu honte de l'avouer, mais j'ai eu du mal à contenir mon émotion, ce jour-là. J'aimais beaucoup Dah, et je n'ai pas pu m'empêcher de verser quelques larmes quand je l'ai vu monter dans l'autobus. Heureusement pour moi, Qiu ne s'en est pas aperçu[5].

En plus de nos cours de politique avec Qiu, nous avions droit chaque semaine à une séance de psychologie sportive inspirée de la pensée de Dao Kha. Nous apprenions ainsi à adopter les meilleures attitudes pour surmonter les épreuves que nous devions subir. J'en ai retenu de grandes leçons. Qu'est-ce en effet qu'un entraînement sportif, sinon la répétition des mêmes gestes, jour après jour? L'athlète qui ne voit qu'une montagne à déplacer se décourage, et

---

5 *Comme nous tous, Hò a toujours été convaincu que les jeunes qui étaient exclus de notre programme rentraient tout bonnement dans leur village natal. Il ne lui serait jamais passé par l'esprit qu'ils aient pu être **réorientés** vers des camps de travail, où ils étaient condamnés aux travaux forcés, quand ils n'étaient pas purement et simplement éliminés.*

il en va de même pour celui qui ne voit que chacune des pierres et ne comprend pas le sens ultime de son labeur, qui est de travailler à la gloire de sa patrie. « Seul celui qui voit le chemin vers la lumière accomplira de grands exploits », disait Dao Kha.

Nous avions aussi des rencontres individuelles avec les psychologues, qui nous faisaient passer des batteries de tests afin de s'assurer que notre activité était celle qui nous convenait le mieux. Dans mon cas, ces tests ne faisaient que confirmer ce que je savais depuis toujours : j'étais plutôt taciturne, introverti, têtu et patient au point d'en devenir obsessionnel. En plus d'avoir le bagage génétique idéal pour devenir haltérophile, j'en avais le tempérament. Mon seul handicap était d'ordre morphologique : j'avais en effet une faiblesse au niveau du bassin qui m'empêchait de développer entièrement mes capacités. Nos experts ont tenté de résoudre ce problème en modifiant le dosage de mes suppléments vitaminés et en me suggérant des exercices supplémentaires, mais les résultats n'ont malheureusement pas été à la hauteur de leurs attentes. La seule solution, à leur avis, était de me soumettre à une intervention chirurgicale expérimentale qui ferait de moi le plus grand haltérophile de la terre, et qui me vaudrait la reconnaissance de Dao Kha.

Aurais-je accepté cette intervention si on m'avait expliqué qu'il y aurait en vérité non pas une, mais six opérations consécutives, qu'elles dureraient chaque fois plus de quatre heures et que je devrais par la suite rester alité pendant deux mois avant de reprendre l'entraînement? On ne m'a pas vraiment posé la question, mais l'aurait-on fait que j'aurais répondu oui, assurément et fièrement. J'étais prêt à tout pour donner une médaille à Dao Kha.

Je me souviendrai toujours de la première opération, au cours de laquelle les médecins ont gratté l'os de mon bassin en plusieurs endroits. Le but était de provoquer de minuscules blessures qui seraient par la suite comblées de façon naturelle par mon organisme, qui serait ainsi stimulé à produire davantage de calcium – c'est du moins ce que j'ai retenu de leurs explications.

Normalement, on aurait dû m'endormir pour une telle intervention. Toutefois, alors qu'on me conduisait vers la salle d'opération, on m'a annoncé qu'il y avait une pénurie d'anesthésiques causée par un complot de nos ennemis, et que je devrais être opéré à froid. On m'a donc fait boire un liquide qui sentait le désinfectant dont on se sert pour laver les toilettes, et qui me brûlait la gorge. Après quelques gorgées, la tête me tournait et j'avais mal au cœur. Je me sentais étourdi, comme si je m'endormais. On m'a ensuite solidement attaché à la table d'opération, puis on a mis dans ma bouche un bâton dans lequel je devais mordre si la douleur se faisait trop intense. J'y ai mordu tellement fort que mes dents s'y sont enfoncées jusqu'aux gencives, et on a eu du mal à l'enlever par la suite.

Sans être un échec total, cette opération n'a pas eu les résultats escomptés. Comme prévu, il semble que mon organisme a produit plus de calcium, mais pas en quantité suffisante pour renforcer vraiment mon bassin. Ce que cette opération avait en revanche démontré de façon convaincante, c'était ma capacité de résistance à la douleur. Dès que j'ai été rétabli, les médecins m'ont demandé si j'étais prêt à recommencer. J'ai évidemment accepté, mais je mentirais si j'affirmais que je débordais d'enthousiasme.

Au cours de cette seconde opération, on a tenté des greffes osseuses, sans succès. On m'a ensuite implanté des électrodes destinées à stimuler mes muscles dorsaux, sans succès encore, et on a aussi fait quelques expériences avec des matériaux composites censés être plus résistants que les os normaux. Cette dernière expérience a mieux réussi.

C'est pendant ce premier long séjour à l'hôpital que j'ai appris à compter des trous au plafond et à faire des multiplications complexes. Mes compagnons venaient heureusement me voir souvent, le soir, pour me raconter leurs performances. Je les écoutais avec toute la concentration dont j'étais capable, essayant de retenir tous les chiffres qu'ils me rapportaient. Quand ils étaient partis, j'utilisais ces données pour faire de nouvelles multiplications, ou pour tracer des graphiques dans ma tête. Distances, poids, temps, fréquence cardiaque, tout était bon pour moi.

Quand la première série d'opérations s'est enfin terminée, j'avais perdu quinze kilos, mes muscles étaient atrophiés et j'avais à peine assez d'énergie pour marcher de mon lit jusqu'à la fenêtre. Les experts ont alors jugé préférable de cesser temporairement leurs expériences et de me laisser reprendre mon entraînement.

Il m'a fallu six mois d'efforts intensifs pour rattraper le terrain perdu. Je crois n'avoir jamais été aussi heureux que lorsque j'ai pu enfin enduire mes mains de magnésie et recommencer à soulever des poids.

J'étais ridiculement faible au début, mais ma progression a été fulgurante par la suite, et c'est à ce moment-là que j'ai compris l'utilité des interventions que j'avais subies. Moi qui manquais de mobilité au niveau des hanches, je pouvais maintenant accomplir des mouvements que je n'aurais jamais crus possibles. On aurait dit qu'on m'avait installé des roulements à billes qui baignaient dans l'huile et qui pouvaient s'articuler dans tous les sens. Je me sentais à la fois plus fort, plus souple et plus endurant[6].

Encouragé par ces résultats, j'ai redoublé d'ardeur, si bien qu'à la veille de mon quatorzième anniversaire, mon entraîneur m'a demandé de remonter sur la scène, un samedi soir.

— Vous savez que notre camarade Hô a subi de dures épreuves, a-t-il dit à la foule. Mais il a toujours eu confiance

---

6 Selon les médecins que j'ai consultés, il y a peu de chances que les interventions subies par Hô aient eu quoi que ce soit à voir avec ces résultats. Si ses performances se sont effectivement améliorées, il ne le doit qu'à l'intensité de ses entraînements. Notons aussi que l'organisme subit d'importantes transformations à l'adolescence. L'amélioration qu'a ressentie Hô était peut-être tout simplement due à une production massive de testostérone. Il y a aussi une troisième explication, encore plus probable : la peur de retourner sur la table d'opération a certainement dû avoir un effet sur sa motivation.

en nos experts, qui ont fait de lui un athlète supérieur. Hò a souffert, mais il s'est inspiré de façon exemplaire de la pensée de Dao Kha et il a su soulever toutes les pierres que la vie avait mises sur son chemin. Ce que vous allez bientôt voir, camarades, est le résultat de ces efforts colossaux.

À son signal, je me suis approché de la barre. Je me suis enduit les mains de magnésie en prenant bien mon temps. J'ai pensé aux médecins qui avaient travaillé d'arrache-pied pour faire de moi un athlète supérieur. J'ai pensé aussi à Dao Kha, qui avait besoin de moi pour démontrer à la terre entière la grandeur de notre pays. Je n'avais pas le droit de les décevoir.

Aussitôt que je me suis penché pour saisir la barre, j'ai entendu les camarades de ma patrouille scander mon nom, tout doucement d'abord, puis avec de plus en plus de force : Hò ! Hò ! Hò !

Tous les autres pionniers se sont ensuite unis à eux, de même que les médecins, les responsables politiques et tout le personnel. Hò, Hò, Hò, Hò! criaient-ils, et je sentais de la lave en fusion pénétrer dans mes veines et nourrir mes muscles. À ce moment-là, m'aurait-on demandé de soulever la terre que j'aurais sans doute réussi.

J'ai finalement arraché les poids du sol et les ai soulevés d'un seul coup, établissant le record junior de mon pays en écrasant le record précédent de plus de dix kilos.

La barre pliait sous le poids, et je suis resté là pendant de longues secondes, refusant de la lâcher, et me nourrissant des applaudissements. Même Qiu, qui restait habituellement de glace dans ces circonstances, s'est laissé emporter par l'enthousiasme et a lancé : « Vive la pensée de Dao Kha ! »

J'aurais souhaité que ma vie s'arrête là: rien d'autre n'en valait la peine. J'étais désormais prêt à m'entraîner jour et nuit, à pulvériser les records et à ridiculiser nos ennemis, mais les experts en avaient apparemment décidé autrement. J'allais bientôt apprendre qu'il me faudrait dorénavant intégrer à mes entraînements un nouveau sport qui m'était totalement inconnu: la sexualité.

Pourquoi je me suis marié

Quand Qiu m'a averti que le directeur du camp me convoquait à son bureau, j'étais évidemment très nerveux.
Que pouvait-il me vouloir ? Avais-je dit
ou fait quelque chose de mal ? Aurais-je
tenu sans m'en rendre compte des propos qui n'étaient pas dignes de la pensée de Dao Kha ? J'avais parfois entendu
parler de pionniers qui avaient été
convoqués et qui n'étaient jamais revenus au camp. Certains racontaient que
des saboteurs se trouvaient parmi eux,

et qu'on les avait fusillés. J'aurais voulu presser Qiu de questions, mais je m'en suis retenu. Il nous avait souvent dit que ceux qui posent trop de questions sont de mauvais patriotes.

J'ai passé des jours et des nuits à me torturer l'esprit. Je me répétais que j'avais réussi des performances extra-ordinaires au cours des semaines précé-dentes, mais je savais que cela ne ga-rantissait rien : les plus grands exploits ne pèsent pas lourd s'ils ne s'accompa-gnent pas d'un patriotisme sans faille. J'avais beau me creuser la tête et passer en revue toutes les conversations que j'avais eues avec mes compagnons, je ne voyais pas quelle erreur j'aurais pu commettre. Je n'avais parlé avec eux que d'entraînement, et toujours en termes positifs, comme Qiu me l'avait appris. Était-ce possible alors que quelqu'un ait pu mal interpréter certaines de mes paroles ?

J'étais mort d'inquiétude en me dirigeant vers le bureau du directeur, qui était situé au dernier étage de l'ancien hôtel, d'où on avait une vue panoramique sur le lac et les montagnes des environs. Le directeur était un petit homme chauve avec un gros ventre. Je l'avais déjà aperçu au camp, mais de très loin, et il ne m'avait jamais adressé la parole. J'ai été rassuré quand il m'a accueilli en me serrant la main, un grand sourire aux lèvres. S'il avait quelque chose à me reprocher, ça ne paraissait pas.

Il m'a invité à m'asseoir dans un sofa recouvert de coussins, mais il a dû insister pour que j'accepte. J'avais trop peur de salir ou de déchirer ce tissu luxueux. J'essayais de bouger le moins possible tandis qu'il contournait son immense bureau pour s'asseoir à son tour dans son immense fauteuil, placé sous un portrait non moins immense de Dao Kha. C'est à peine si j'osais regarder autour de moi : fauteuils en cuir, tentures de velours, bibliothèques, toiles, tapis profonds… je n'avais jamais vu une pièce aussi richement décorée. Gloire soit rendue à Dao Kha, ai-je pensé : le chef du camp a de lourdes responsabilités, et notre leader bien-aimé sait le récompenser.

Un serviteur que je n'ai pas entendu entrer s'est ensuite avancé vers moi. Il m'a présenté un plateau sur lequel se trouvaient des protéines servies sous des formes que je ne connaissais pas. Je me souviens en particulier d'une sorte de boule jaune, de la grosseur d'une balle, qu'il fallait peler, et qui se découpait en sections. C'était juteux et délicieux. Il y avait aussi d'autres petites boules sucrées attachées ensemble et qu'on n'avait pas besoin de peler, et toutes sortes de biscuits qui ne ressemblaient pas à ceux que nous mangions habituellement. Ceux-ci étaient encore plus sucrés, et on pouvait les tremper dans une tasse d'eau chaude aromatisée. Ce que je préférais, c'étaient ces étranges cubes blancs et jaunes enfilés sur de tout petits bâtons, et dont le goût était étonnant. J'en aurais mangé des dizaines, mais quelque chose me disait que je devais me retenir. Cette nourriture-là appartenait à nos dirigeants, et je ne me sentais pas le droit de la leur voler.

Le directeur me regardait manger en souriant. Mon attitude semblait l'amuser.

— Je t'ai convoqué pour te féliciter, Hò, a-t-il fini par me dire. On m'a rapporté que tes performances sportives étaient extraordinaires, et nous sommes tous fiers de toi. Cependant, ce qui me rend personnellement encore plus fier, c'est ton comportement et ton attitude. Tous les rapports que j'ai lus sur ton compte confirment que tu es un bon patriote et que tu es totalement dévoué à notre grand leader Dao Kha, le soleil de nos vies.

— Merci, camarade directeur. Je fais tout ce que je peux pour lui rendre hommage de toutes les façons possibles, même si je suis convaincu que je n'aurai pas assez de toute ma vie pour le remercier de ce qu'il a fait pour moi et pour notre pays.

— Nous n'en attendons pas moins de toi, Hò. Si je t'ai convoqué, c'est pour te présenter quelqu'un d'important. Madame Lio est venue directement de la capitale pour te rencontrer.

Le directeur a alors fait un geste de la main, et le serviteur a fait entrer dans la pièce une femme qui portait un uniforme de l'armée. J'ai tout de suite su que j'avais affaire à quelqu'un de très haut placé : elle portait fièrement sur son buste la médaille du mérite, une des plus hautes décorations du pays. Cette médaille, comme tout le monde le sait, est une des seules remises par Dao Kha *en personne*. Cette dame avait donc *rencontré* notre bien-aimé leader, et elle lui avait peut-être même *touché*. Je me suis empressé de me lever pour l'accueillir. J'étais tellement impressionné que j'en avais les jambes comme de la guenille. Si on m'avait demandé de soulever des poids à ce moment-là, j'aurais lamentablement échoué.

Le directeur l'a invitée à s'asseoir avant de lui offrir un verre d'un liquide rouge qu'il a versé dans un verre étrange, qui ressemblait à une petite balle de vitre coupée en deux et posée sur un pied très fin. Au lieu de boire ses protéines liquides d'un coup, comme nous le faisions tous, la dame l'a humé, puis y a trempé le bout des lèvres. Elle a eu l'air d'en apprécier le goût, puisqu'elle en a pris ensuite une gorgée un peu plus généreuse. J'aurais bien aimé y goûter moi aussi, mais le directeur ne m'en a pas offert. J'ai crû un moment que ce liquide était réservé aux dames, mais le directeur s'en est servi un verre lui

aussi, et il est devenu rouge en le bu-
vant, comme si le liquide déteignait sur
·lui. Je me suis dit qu'il s'agissait sans
doute d'un rituel réservé aux dirigeants
et j'en ai profité pour reprendre dis-
crètement quelques-uns de ces cubes
blancs qui étaient si bons.

— On m'a raconté le plus grand
bien de vous, camarade Hò, m'a finalement dit la dame en uniforme.

Le sofa était tellement vaste qu'elle
était éloignée de moi, mais elle était
tout de même assez proche pour que je
perçoive le nuage odorant qui l'entou-
rait, une sorte de concentré de parfum
de fleurs qui me donnait mal à la tête.
Je ne sais pas si toutes les femmes de
l'armée ont la même odeur, mais ce n'est
pas très agréable. Si tel est le cas, elles
devraient peut-être changer de savon.

J'ai été étonné qu'elle s'adresse à
moi en m'appelant « camarade ». C'était
la première fois que cela m'arrivait, et

je me suis redressé en entendant ce mot. Je croyais, à tort semble-t-il, que cette dénomination était réservée aux dirigeants. Je me sentais encore plus inquiet.

— Notre pays a beaucoup investi dans votre développement athlétique, a-t-elle poursuivi, et nous savons que vous lui en êtes reconnaissant. Dao Kha serait fier de vous, j'en suis sûre.

Je me suis contenté de hocher la tête avec conviction. Je me sentais rougir moi aussi, même si je n'avais pas bu de leur étrange liquide. Je me suis demandé si je devais dire quelque chose, mais je m'en suis retenu. Je n'ai jamais été très bavard et je sais par expérience que les mots sont souvent compris de travers. Il vaut toujours mieux se taire, surtout en présence des hautes autorités. Ces gens-là ont lu de nombreux livres et ils connaissent les tréfonds de l'âme humaine. Mon travail était de soulever des haltères, le leur était de peser leurs mots. J'essayais donc d'adopter une attitude soumise et respectueuse, ce qui ne m'empêchait pas d'être rongé par l'anxiété : qu'est-ce qu'elle me voulait ?

— Comme vous le savez, vos parents biologiques ont accepté de participer à notre programme d'amélioration génétique dans le but de démontrer au monde entier la supériorité de la pensée de Dao Kha. Nous inventons ici un homme nouveau et cet homme sera un athlète de haut niveau. Vous êtes la preuve vivante que ce programme porte déjà ses fruits et nous n'avons aucun doute que vous réussirez bientôt des exploits qui étonneront le monde, mais il nous faut d'ores et déjà penser à l'avenir. Il n'y a en effet aucune raison pour que notre programme s'arrête avec vous. Notre pays est éternel, de même que la pensée de Dao Kha. Cependant, les hommes et les femmes passent...

Je n'étais pas certain de comprendre tout ce qu'elle me disait, mais je me gonflais d'orgueil en entendant ces mots. J'essayais cependant de conserver tant bien que mal l'attitude modeste qui convenait à la situation, tout en tentant de deviner la suite de son discours : peut-être me demanderait-elle la permission de faire des prélèvements de mon sperme dans le but de procéder à des inséminations ? Certains de mes camarades de patrouille étaient déjà passés par là et m'avaient décrit cette opération qui s'était faite selon une méthode naturelle étonnante, mais dont personne n'avait trouvé à se plaindre. Je n'avais jamais osé poser de questions à mes supérieurs à ce sujet, mais je commençais à me demander quand mon tour arriverait. Un doute m'a cependant effleuré l'esprit à ce moment-là : était-ce vraiment pour me parler de cette expérience banale que cette femme décorée de la médaille du mérite était venue de la capitale ? Y avait-il autre chose que je ne soupçonnais pas ?

— Comme vous le savez sans doute, plusieurs de vos camarades sont appelés à donner de leur sperme, poursuivit-elle comme si elle avait lu dans mes pensées. C'est aussi ce à quoi nous nous attendons de votre part, bien sûr – il serait criminel de gaspiller un tel bagage génétique ! Mais nous en voulons un peu plus…

Elle s'est alors interrompue pour avaler une gorgée de liquide, et ses joues sont devenues de plus en plus rouges. Je commençais pour ma part à paniquer : qu'est-ce que ça pouvait bien être que ce *plus* ? Voulait-on que je donne un de mes bras ou une partie de mon cerveau ?

— … Ce que nous désirons, en fait, c'est que vous ayez des relations sexuelles normales avec une de nos meilleures athlètes.

Elle a alors avalé une autre gorgée de liquide, comme si ces mots lui avaient asséché la gorge.

Pour ma part, j'ai dû froncer les sourcils, puisqu'elle a aussitôt enchaîné en parlant un peu plus vite, comme pour calmer mes appréhensions.

— Laissez-moi vous expliquer notre idée. Plusieurs chercheurs dans le monde ont tenté d'étudier les conséquences des activités sexuelles sur les performances sportives, sans toutefois arriver à des résultats convaincants. Certains boxeurs se privent de toute relation pendant la semaine qui précède un combat important, persuadés qu'ils seront ainsi plus agressifs. D'autres prétendent que ces activités contribuent à les détendre et ils les intègrent en quelque sorte à leur entraînement. Il serait intéressant de vérifier ces hypothèses selon une méthode scientifique, et nous croyons que les haltérophiles seraient les meilleurs candidats pour cela : ils pratiquent un sport individuel, très technique, et leurs performances sont facilement mesurables.

Je ne voyais aucune objection à ajouter cet exercice supplémentaire à ma routine, mais j'allais bientôt m'apercevoir que cette femme avait autre chose de beaucoup plus inquiétant en tête.

— Grâce à la pensée de Dao Kha, notre guide suprême, notre pays est à l'avant-garde de la science et il entend le rester. Nous avons décidé d'aller plus loin que tout ce qui a été tenté jusqu'ici. Certaines études semblent en effet démontrer que c'est l'ensemble de la vie conjugale, et non seulement la sexualité, qui influence les performances. Les conjoints partagent bien plus que leur lit : ils ont des projets en commun, discutent de ce qui leur est arrivé dans la journée, échangent des confidences… Tout cela contribue sans doute à leur équilibre émotionnel et peut avoir des conséquences sur la chimie de leur cerveau.

J'ai alors commencé à sentir des sueurs froides : j'étais disposé à avoir des relations sexuelles si cela pouvait faire avancer la science, mais pour le reste…

— Voici donc ce que nous attendons de vous, camarade Hò. Dès la semaine prochaine, vous allez vivre en concubinage complet avec Lin, un de nos meilleurs espoirs en haltérophilie féminine. Vous remplirez pour cela un contrat de mariage en bonne et due forme.

Je crois être assez habile pour dissimuler mes émotions, mais ce coup-là, j'ai senti la tête me tourner comme si on m'avait fait boire du désinfectant, et j'ai bien failli m'évanouir. *La semaine prochaine ?*

Le directeur est alors intervenu et son propos m'a rassuré.

— Ce contrat sera approuvé et signé de la main de Dao Kha lui-même, a-t-il dit en bombant le torse. Les privilèges qui vous seront conférés par ce contrat seront donc sacrés. J'espère que vous saisissez bien la portée de ce que je viens de vous dire.

L'idée de vivre en concubinage me faisait paniquer, mais la perspective de posséder un document signé par Dao Kha me remplissait d'une telle dose de fierté que j'avais peur d'éclater de joie. Jamais je n'avais éprouvé des sentiments aussi violemment contradictoires. Aurais-je voulu dire quoi que ce soit que j'en aurais été incapable.

J'étais évidemment conscient de l'honneur qu'on me faisait, mais si on m'avait donné le choix, j'aurais préféré rester avec ma patrouille tout en m'acquittant de mes devoirs biologiques avec Lin. D'après ce que j'en savais, la copulation n'était pas une activité qui demandait beaucoup de temps. J'avais déjà vu des animaux procéder à cette opération, et ce n'était jamais très long. Avec un peu d'entraînement, je pourrais sûrement m'acquitter de cette tâche rapidement. Même Qiu en aurait été capable. Mais qu'avais-je besoin de m'encombrer d'une épouse pour le reste de la journée ?

Madame Lio a alors repris la parole.

— Vous devrez avoir des relations sexuelles régulières, que vous exécuterez en suivant un horaire et des procédures scientifiquement établis. Vous vivrez tous les deux dans une maisonnette modeste mais confortable qui sera aménagée tout près du camp. Vous y passerez toutes vos nuits, de même que vos périodes libres. Pour le reste, vous continuerez à mener votre vie le plus normalement possible : vous poursuivrez vos entraînements et vous vous rendrez à vos sessions de formation politique comme d'habitude. Vous aurez aussi droit à des sessions de renforcement psychologique prévues à votre intention. Cette expérience ne saurait en effet se réduire à sa dimension athlétique, et elle intéresse plusieurs de nos spécialistes. « Les muscles du cerveau sont encore plus puissants que ceux des bras », comme dit Dao Kha, et nous savons qu'il en a bien eu besoin pour soulever toutes les pierres qui bloquaient sa route.

— Vive la pensée de Dao Kha ! s'est alors exclamé le directeur en levant son verre, ce qui lui a donné l'occasion de boire une autre gorgée de liquide rouge.

Madame Lio a levé son verre à son tour, puis elle a poursuivi.

— Vous vous inspirerez de la pensée de notre leader suprême pour établir votre vie conjugale sur des bases saines, pour la plus grande gloire de notre pays, a-t-elle finalement repris. Par exemple, vous continuerez à manger à la cantine chaque midi en compagnie de votre patrouille, mais vous devrez prendre votre repas du soir avec votre compagne. Nos nutritionnistes veilleront à vous préparer des doses individuelles de protéines et de suppléments vitaminés qui tiendront compte des exercices supplémentaires que vous imposera votre nouveau statut. Avez-vous des questions ?

J'en avais des centaines, mais elles restaient coincées dans mon cerveau et ne se rendaient pas jusqu'à ma bouche. L'idée de refuser de participer à ce projet ne m'a cependant jamais traversé l'esprit : je me devais de faire tout ce qu'on me demandait pour aider mon pays et j'aurais été stupide de rejeter un document signé de la main même de Dao Kha. Quoi que ce papier exigeât de moi, je devais l'accepter avec reconnaissance.

Tandis que madame Lio et le directeur se servaient un autre verre de liquide rouge, j'essayais de penser à Lin, et à ce que serait ma vie avec elle. Je la connaissais un peu, bien sûr. Elle nous avait quelquefois fait la démonstration de ses habiletés lors de nos soirées du samedi, et tout le monde parlait d'elle comme d'un de nos meilleurs espoirs en haltérophilie. Ses épaules puissantes et sa technique sans faille la rendaient capable de performances étonnantes, particulièrement à l'épaulé-jeté. Plusieurs hommes auraient été fiers d'en faire autant. Je savais aussi qu'elle faisait partie de la chorale féminine, pour l'avoir entendue interpréter l'hymne national et quelques chansons à la gloire de Dao Kha. C'est à peu près tout ce que je savais d'elle. Il faut dire que les univers des garçons et des filles ne se mêlaient presque jamais. Nous vivions sur des étages séparés, nous ne mangions pas aux mêmes heures à la cantine et ne partagions jamais les installations sportives. Chacun avait ses psychologues, ses entraîneurs et ses responsables politiques. Même en me creusant le cerveau, je ne me souvenais pas d'avoir eu une discussion avec elle – ni avec aucune autre fille, d'ailleurs. Pour moi, elles étaient toutes équivalentes. L'idée de combiner nos gènes pour concevoir un athlète de haut niveau me paraissait tout à fait sensée, et j'étais prêt à participer à cette expérience – n'ai-je pas moi-même été conçu de cette manière ? –, mais c'était l'idée du mariage, encore une fois, qui me révulsait. Pourquoi diable voulait-on que je passe mes soirées avec elle ? Que pourrions-nous trouver à nous dire ?

— Et alors ? a fini par me demander madame Lio.

— Je n'ai aucune question, madame. Je vous remercie de la confiance que vous m'accordez en me permettant de participer à cette expérience. Je suis fier de servir mon pays et je m'engage à m'inspirer de la pensée de Dao Kha pour accomplir de mon mieux ce qu'on attend de moi.

— Nous n'en attendions pas moins de toi, Hò, a répondu le directeur. Ou peut-être devrais-je maintenant dire : *Monsieur* Hò ?

Tout le monde a souri à cette réplique, ce qui a détendu l'atmosphère.

— Nous te convoquerons quand le moment sera venu, a ajouté le directeur.

C'était sans équivoque : j'ai compris qu'il m'invitait à quitter la pièce, ce que j'ai fait sans demander mon reste.

J'étais tellement sonné quand je suis sorti de ce bureau que je n'ai même pas remarqué que Lin était là, assise sur une chaise droite, attendant le moment d'être convoquée à son tour. Je marchais comme un somnambule, aux prises avec tant de sentiments contradictoires que j'aurais été bien en peine de les démêler : j'étais à la fois très fier d'avoir été choisi, triste d'avoir à quitter mes compagnons, inquiet à l'idée de devoir me livrer à des activités sexuelles auxquelles je ne connaissais rien, mais surtout complètement sonné à l'idée de me marier[7].

---

7 J'ignorais complètement à ce moment-là que Hò allait devenir mon mari. J'allais l'apprendre au cours des minutes suivantes. Si j'avais eu à décrire cette rencontre de mon point de vue, j'aurais utilisé les mêmes expressions, mot pour mot, et j'aurais repris à mon compte tout ce que Hò dit dans ce dernier paragraphe. J'avais cependant une crainte supplémentaire : me demanderait-on de porter des enfants ? Si oui, combien de grossesses devrais-je subir ? Pourrais-je continuer à m'entraîner pendant ce temps ? J'étais tellement habituée à obéir que je n'ai même pas osé poser ces questions.

L'entraînement
du futur marié

Le lendemain, j'ai eu du mal à reprendre mon entraînement. Mon esprit était trop occupé à digérer toutes ces nouvelles informations. Je restais étendu sur mon banc d'exercice, me demandant à quoi ressemblerait ma vie avec Lin. Je craignais surtout les longues soirées que nous devrions passer ensemble, quand il n'y aurait pas de cours de politique ni de rencontres de renforcement psychologique. Mes compagnons de patrouille et moi avions l'habitude de passer ces soirées à jouer aux dés ou aux cartes, à bricoler avec des branches ou à nous livrer à des épreuves de force et d'endurance. Le peu que je connaissais des filles me laissait croire qu'elles n'aimaient pas ces activités. Apparemment, elles préféraient parler, parler, et encore parler. Ce serait infernal.

Pour me calmer, j'essayais de m'accrocher aux paroles de mon entraîneur, qui répétait toujours que les haltérophiles étaient avares de mots. Dans mon cas, il avait raison. Quand les gens parlent trop, j'essaie de tout comprendre et ça m'étourdit. J'espérais de tout cœur que ça valait autant pour les femmes. Si, malgré tout, il fallait absolument avoir des conversations, j'imaginais que nous pourrions discuter de nos techniques pour lever nos poids et haltères. Mais ce que j'espérais surtout, et de tout mon cœur, c'était d'avoir le droit de me taire.

J'avais encore plus de mal à anticiper ce qui se passerait au moment de nous mettre au lit. Comme tous mes camarades, j'avais toujours dormi nu. Devrais-je en faire autant quand je serais marié ? Lin serait-elle nue elle aussi ? Était-ce hygiénique ?

Je fermais alors les yeux et j'essayais de deviner à quoi pouvait ressembler son corps. Je l'avais déjà vue en maillot d'haltérophile, ce qui me facilitait la tâche, du moins jusqu'à un certain point. Je savais qu'elle avait un dos large, des hanches solides, une taille mince et des muscles bien découpés. Ils n'étaient pas aussi saillants que les miens, bien sûr, mais on les devinait durs comme l'acier. Cela me plaisait : si elle avait eu un physique de marathonienne, j'aurais eu peur de la briser. Et ne me parlez même pas du corps des psychologues et des responsables politiques ! Il y avait un certain nombre de ces intellectuelles au camp, et aucune d'elles n'avait un corps harmonieux. Soit elles avaient l'air molles, soit elles semblaient maigres et cassantes, comme Qiu. Il faut dire qu'elles étaient vieilles. Certaines avaient plus de trente ans.

Comme toutes les haltérophiles, Lin portait de longues tresses. Son visage était plutôt rond, et ses yeux noirs et brillants. Ses seins me semblaient de grosseur moyenne, pour autant que je puisse en juger. Ce qui m'intriguait, c'était leur consistance. Que se passait-il quand elle enlevait son maillot? Tombaient-ils, ou restaient-ils dressés? Y avait-il des muscles à l'intérieur de ces enveloppes de chair? Je n'en avais pas la moindre idée.

On s'attendait à ce que nous ayons des relations sexuelles, c'était entendu, mais faudrait-il nous y livrer chaque soir, ou même plusieurs fois par nuit? Combien de temps durait chaque épisode? Et que se passerait-il si Lin tombait enceinte ? Serais-je le père de l'enfant ? Celui-ci porterait-il mon nom ? J'enviais mon père biologique, qui n'avait pas eu besoin de se marier pour me concevoir. Tout ce qu'il avait eu à faire avait été de copuler pour qu'un spermatozoïde porteur d'un riche bagage génétique rencontre un ovule tout aussi bien doté. Pourquoi ne m'avait-on pas tout simplement demandé d'en faire autant ?

Heureusement, je n'ai pas tardé à avoir la réponse à la plupart de ces questions. Deux jours après ma rencontre avec madame Lio, j'ai été convoqué au bureau de l'infirmière, qui était pour l'occasion accompagnée d'une psychologue. L'infirmière m'a montré des photos représentant des organes génitaux masculins au repos et au garde-à-vous. Ces premières images ne m'ont rien appris de vraiment nouveau, ayant expérimenté moi-même à quelques reprises ces changements et les conséquences qui en résultaient. Elle m'a ensuite expliqué à l'aide de schémas ce qui se passait à l'intérieur du corps féminin. C'était plus instructif, mais j'avoue avoir eu du mal à saisir toutes ses explications, tellement j'étais gêné. Heureusement, elle abordait ces sujets avec une froideur toute scientifique, ce qui m'a permis de garder une certaine contenance.

Pendant tout ce temps, la psychologue ne disait rien et se contentait de prendre des notes.

L'infirmière a ensuite installé des électrodes sur mon cœur et sur mon sexe, puis elle m'a montré des photos représentant des femmes nues, ce qui a automatiquement déclenché chez moi les changements morphologiques dont je parlais plus tôt. Elle a semblé satisfaite de ma réaction. La psychologue semblait satisfaite, elle aussi, et notait les résultats en hochant la tête.

J'avais pour ma part très hâte que ces expériences prennent fin. Les deux femmes continuaient en effet à me parler pendant tout ce temps, mais j'avais bien du mal à me concentrer sur leurs paroles.

Lorsque l'infirmière m'a enfin enlevé les électrodes, je lui ai demandé ce qui se passerait si Lin tombait enceinte. Elle s'est contentée de répondre que cela n'arriverait pas. Cela me semblait contradictoire : pourquoi me donnait-on toutes ces informations sur la fécondation, dans ce cas ? J'ai donc posé la question une deuxième fois, au cas où j'aurais mal compris. Cette fois, c'est la psychologue qui m'a répondu d'un ton ferme : « Cela n'arrivera pas, un point c'est tout. »

Je n'ai pas insisté. Qui étais-je pour les contredire, au fond ? À titre de femmes et de scientifiques, elles me semblaient doublement expertes pour connaître ces choses[8].

Pour finir, l'infirmière m'a expliqué la marche à suivre pour prélever un échantillon de mon sperme et m'a prié d'en fournir un sur-le-champ. Après m'avoir remis un bocal en plastique et quelques-unes des photos qui avaient provoqué des réactions chez moi, elle et la psychologue se sont retirées de la pièce.

J'ai pu facilement accéder à leur demande.

Quelques minutes plus tard, Qiu est venu me rejoindre pour m'inviter à visiter la maisonnette où nous allions habiter, Lin et moi. Il fallait pour y arriver emprunter un sentier qui traversait un boisé. Ce n'était pas très éloigné du

---

8 *J'ai posé la même question et j'ai eu droit à la même réponse. Je me suis alors imaginé qu'il y avait quelque chose dans nos suppléments vitaminés qui empêchait la conception, mais la suite allait me prouver que j'avais tort...*

bâtiment principal, mais nous étions tout de même isolés des autres pionniers.

Il était difficile d'imaginer plus simple : c'était une cabane d'une seule pièce, en bois, sans salle de bain, et munie d'une petite fenêtre. Qiu m'a expliqué qu'avant la Révolution, c'était dans ce type de maison que logeaient les employés de l'hôtel, du moins les plus favorisés d'entre eux[9]. À l'intérieur se trouvaient un lit, une table et deux chaises, une commode pour ranger nos uniformes, et c'est tout. La seule décoration était le portrait de Dao Kha épinglé au-dessus du lit. On le voyait revêtu de son costume militaire, devant un monticule de pierres. De grands rayons jaunes irradiaient derrière lui, comme s'il était lui-même le soleil. Je me souviens m'être alors demandé si notre leader bien-aimé était lui-même

---

9 *Qiu disait n'importe quoi. Il s'agissait en fait d'une cabane à outils.*

marié. Si oui, pourquoi ne le voyait-on jamais avec son épouse ? J'aurais peut-être pu poser la question à Qiu, mais je m'en suis abstenu, de peur que ma curiosité paraisse déplacée.

— Que penses-tu de ta nouvelle demeure ? m'a demandé Qiu.

Sa question m'a étonné. On ne nous demandait jamais ce que nous pensions de quoi que ce soit, et encore moins d'exprimer des préférences personnelles. S'attendait-il à ce que je critique la couleur du rideau ou que je me plaigne des dimensions du lit ? Si je lui disais la vérité, à savoir que j'avais peur de me sentir à l'étroit dans cette maisonnette et que je m'ennuierais certainement de mes compagnons, m'accuserait-il de critiquer une décision des autorités ?

— C'est un grand honneur pour moi d'avoir été choisi et je m'engage à faire de mon mieux pour que cette expérience soit une réussite, pour la plus grande gloire de Dao Kha.

Ma réponse a semblé le satisfaire.

— Parfait. Pour des raisons de sécurité, je te demande de ne parler de ce mariage qu'avec les autorités concernées. Tes compagnons seront avertis que tu participes à une expérience, sans plus. S'ils t'interrogent à ce sujet, contente-toi de dire que tu n'as rien à ajouter. C'est bien compris ?

On peut toujours compter sur moi pour en dire le moins possible. Je me suis donc contenté de hocher la tête fermement, et deux fois plutôt qu'une.

— C'est bien. La cérémonie aura lieu demain matin.

J'ai l'habitude de dormir comme une bûche. Cette nuit-là, pourtant, je n'ai pas fermé l'œil.

Le jour où j'ai embrassé Lin

Le lendemain matin, avant même le lever du soleil, le directeur du camp nous a convoqués dans son bureau pour célébrer notre mariage. C'est lui qui présidait la cérémonie. Lin était accompagnée de sa responsable politique, qui lui servait de témoin, et j'étais accompagné de Qiu. Il n'y avait personne d'autre.

Pour la circonstance, on m'avait demandé de revêtir la tenue que je portais à la fête nationale, ce qui m'emplissait de fierté. Deux bouquets de fleurs avaient été déposés sur le bureau, de part et d'autre du portrait de Dao Kha, qui ne m'avait jamais paru aussi intimidant que ce jour-là.

J'étais trop gêné pour regarder Lin franchement, mais je m'y suis tout de même risqué quelques fois pendant que le directeur récitait des formules auxquelles je ne comprenais rien. Elle avait revêtu ses habits d'apparat, comme moi. Ses chaussures en cuir noir étaient étincelantes, sa jupe impeccable et sa blouse si blanche qu'elle en était éblouissante. Son foulard de pionnière était d'un rouge éclatant qui mettait en évidence ses tresses noires. Ses joues étaient presque aussi rouges que son foulard, et je me suis demandé un instant si elle avait mis de la poudre ou quelque produit de ce genre. Je me suis cependant vite ravisé. Ce genre de

comportement exhibitionniste et dé-
cadent n'était pas encouragé chez les
pionniers.

J'ai essayé de me concentrer à nouveau sur ce que disait le directeur, sans
mieux réussir à le comprendre. Aucun
des mots qui sortaient de sa bouche ne
me paraissait compliqué, mais on aurait
dit qu'il parlait une langue étrangère.

J'ai risqué un regard en direction de
Qiu. Il se tenait au garde-à-vous, droit
comme un piquet, et n'avait d'yeux que
pour le portrait de Dao Kha. La responsable politique de Lin était tout aussi
maigre que Qiu. Je me souviens de
m'être demandé si on croisait des intellectuels entre eux comme on le faisait
pour les athlètes, et d'avoir conclu que
ce n'était sans doute pas le cas : au bout
de deux ou trois générations, les reje-
tons auraient peut-être un gros cerveau,
mais ils seraient trop faibles pour le supporter.

Tandis que le directeur nous lisait des extraits choisis des œuvres de Dao Kha, j'ai glissé un regard en direction de Lin, une fois de plus. Ses mains étaient étonnamment fines pour une haltérophile, et je pouvais voir qu'elles tremblaient. J'ai alors osé regarder son visage et nos regards se sont croisés. Elle semblait épouvantée, comme si j'étais un monstre qui s'apprêtait à la dévorer. J'ai essayé de lui sourire pour la rassurer, mais j'étais tellement nerveux que mon sourire a dû passer pour un rictus. Si j'avais pu lui parler, je lui aurais promis que jamais, au grand jamais, je ne lui ferais de mal. A-t-elle compris le message silencieux que j'ai essayé de lui lancer en ne me servant que de mes yeux ? Je crois que oui : il m'a semblé qu'elle avait l'air moins craintive[10].

---

10 Hò a raison. Il avait beau être fort comme un bœuf, ses yeux étaient à ce moment-là empreints de douceur. J'ai su immédiatement que je n'aurais rien à craindre de lui et qu'au contraire, il ferait tout pour me protéger.

— Vous allez maintenant signer ce document, a alors dit le directeur, ce qui m'a fait sursauter.

Lin s'est approchée du bureau du directeur et elle a paraphé le texte. Sa responsable politique en a fait autant, puis je me suis avancé à mon tour. J'ai été surpris de constater que Lin avait apposé une véritable signature plutôt qu'une croix. Elle savait donc écrire ! Cela m'impressionnait beaucoup. Mais ce qui était encore plus impressionnant, c'était le sceau de cire qui se trouvait au bas de la page et qui prouvait hors de tout doute que le document avait été signé par Dao Kha en personne. C'était son effigie qui se trouvait sur ce sceau, et sa véritable signature sous celui-ci. J'en suis resté muet, et ma main tremblait quand j'ai tracé une croix à l'endroit qu'on m'indiquait.

— Vous voici mariés, a conclu le directeur. En accord avec les autorités sportives et politiques de ce camp, nous vous allouons deux jours de congé pour célébrer cet heureux événement. Puissiez-vous vous montrer dignes de la confiance que Dao Kha vous témoigne. Vous pouvez maintenant vous embrasser.

Je me souviens de m'être demandé si le verbe *pouvoir* était bien choisi pour la circonstance : si nous *pouvions* nous embrasser, c'était donc que nous pouvions aussi choisir de nous en abstenir, ce que j'aurais préféré. S'il voulait que nous nous embrassions, n'aurait-il pas dû dire que nous *devions* nous embrasser ?

Sentant les regards posés sur moi, je me suis approché de Lin, ce qui m'a permis de constater qu'elle n'était pas entourée d'un nuage de parfum comme madame Lio. Cette découverte m'a beaucoup soulagé. Je crois que je n'aurais pas pu supporter une telle odeur.

Je n'ai pas eu le temps de penser plus longtemps à ce que je devais faire. Lin était devant moi et son visage trahissait sa gêne : elle avait les yeux écarquillés et ses lèvres étaient serrées. Elle se demandait sans doute elle aussi comment nous réussirions à surmonter cette épreuve. Afin d'écourter son supplice, j'ai décidé de l'embrasser rapidement sur la joue droite. Je ne pouvais pas savoir qu'elle avait décidé en même temps de m'embrasser sur la joue gauche. En résultat, nous avons fait exactement ce que nous voulions éviter de faire et nous nous sommes embrassés sur la bouche !

— C'est un bon début, a dit le directeur en souriant d'un air satisfait. Vous vous débrouillerez sûrement très bien pour le reste.

Nous avons serré les mains des témoins et du directeur, puis nos responsables politiques nous ont accompagnés jusqu'au sentier qui menait à notre maisonnette, et ils nous ont laissés là.

Je suis resté planté un bon moment à ne pas savoir quoi faire. Fallait-il que je prenne les devants, ou devais-je plutôt attendre que Lin s'engage d'abord dans le sentier ? Si je m'étais écouté, j'aurais sans doute choisi une troisième option : j'aurais rebroussé chemin et je serais rentré tout droit rejoindre ma patrouille.

Je me suis demandé ce qu'aurait fait Dao Kha en pareilles circonstances, mais je n'ai pas trouvé de réponse. Il existe hélas des situations où même les plus grands philosophes ne peuvent rien pour nous.

J'ai regardé Lin, qui avait les yeux rivés au sol. J'ai deviné qu'elle ne savait pas plus que moi ce qu'il convenait de faire, et j'ai décidé de marcher vers notre maison. Dix fois, vingt fois, j'ai eu envie de me tourner vers elle pour lui dire quelque chose, mais tout ce qui me passait par la tête était tellement banal – ou tellement idiot – que j'ai préféré me taire.

Arrivé à la porte, je l'ai ouverte et je me suis écarté pour céder le passage à Lin. Je ne savais pas trop pourquoi, mais il me semblait que c'était elle qui devait entrer en premier. Elle a semblé hésiter quelques secondes, puis elle est entrée d'un pas assuré. J'ai pris une grande respiration et je l'ai suivie avant de refermer la porte derrière nous. Je me suis beaucoup entraîné au cours de ma vie, mais je n'ai jamais senti battre mon cœur aussi fort qu'à ce moment-là.

— Quelle chaise préfères-tu ? lui ai-je demandé.

Je me sentais un peu ridicule, vu que les deux chaises étaient identiques, mais j'ai supposé qu'elle aimerait que je fasse preuve de politesse.

— Je prendrai celle-ci, a-t-elle dit en désignant celle qui se trouvait près de la fenêtre.

Je me suis alors aperçu que c'était la première fois que j'entendais le son de sa voix. Elle me semblait faible et enrouée, mais cela tenait sans doute à sa nervosité. J'avais moi aussi la voix sèche et j'aurais volontiers bu quelques litres d'eau si j'en avais eu à ma disposition. Je savais qu'il n'y avait pas de robinet ni d'évier dans notre maisonnette, mais j'ai quand même jeté un regard circulaire, comme si je découvrais l'endroit pour la première fois : à part la table et les deux chaises, il n'y avait pour tout mobilier qu'une commode pour ranger nos vêtements. Il y avait aussi le lit, bien sûr, qui occupait presque tout l'espace. Il était à peine assez grand pour nous deux, mais, à ce moment-là, il me paraissait immense.

Lin s'est assise, le dos bien droit, et j'en ai fait autant de mon côté. J'avais tellement peur que mes propos soient mal interprétés que je préférais me taire.

C'est finalement Lin qui a cassé la glace.

— Nous devrions parler de sexualité, m'a-t-elle dit en regardant le bout de ses souliers. C'est pour cela que nous sommes ici.

Sa voix me semblait maintenant plus assurée, et plus claire que je ne l'aurais cru. J'ai toussoté pour éclaircir la mienne, mais tout ce que j'ai trouvé à lui répondre a été un faible « oui ».

— As-tu une certaine expérience en ce domaine ?

— Non.

— Moi non plus, mais je n'ai pas dormi la nuit dernière et j'ai eu le temps de réfléchir. Veux-tu que je te fasse part de mes idées à ce sujet ?

— Je t'écoute.

J'étais très soulagé qu'elle avoue ne pas avoir dormi, elle non plus, et j'étais encore plus soulagé qu'elle prenne ainsi le contrôle de la conversation. Je m'étais engagé avant elle dans le sentier qui menait à la maison, mais j'étais beaucoup moins déterminé depuis que la porte était refermée derrière nous.

— Nous devrions agir comme s'il s'agissait d'un entraînement pour un mouvement d'haltérophilie que nous n'avons encore jamais accompli. Nous connaissons les gestes qu'il faut exécuter, mais nous devons être prudents si nous ne voulons pas risquer de nous blesser. Personne ne ferait un épaulé-jeté sans s'être d'abord réchauffé.

J'aimais sa façon d'aborder le problème. Comme je ne voulais pas me contenter de hocher la tête ou de répondre par monosyllabes, j'ai essayé de dire quelque chose pour lui montrer que j'appréciais ses efforts.

— Tu as raison. Il faudra nous concentrer sur les mouvements que nous devons accomplir. En nous inspirant de la pensée de Dao Kha, nous devrions y arriver sans trop de mal. D'autres sont passés par là avant nous, après tout, sinon nous ne serions pas ici pour en parler.

— C'est juste. Et personne n'est obligé de réussir du premier coup. Notre entraînement doit être progressif.

— Tu as raison. Veux-tu que nous commencions tout de suite ?

— Pourquoi pas ?

Nous nous sommes levés puis nous avons exécuté nos exercices de réchauffement habituels. Une fois nos muscles réveillés, nous nous sommes déshabillés sans nous regarder et nous nous sommes glissés sous les couvertures. Je regardais le plafond, et elle en faisait autant. Je l'entendais respirer, mais elle ne disait rien. J'essayais de respirer profondément moi aussi, et je me risquais même à la regarder du coin de l'œil. Étrangement, cela ne provoquait pas chez moi les réactions auxquelles je m'étais attendu. Quand je regardais des photos de femmes nues, mon sexe doublait de volume, et maintenant qu'une vraie femme était étendue à mes côtés, il semblait vouloir disparaître ! C'est là, sans doute, une autre de ces situations où les pensées les plus profondes des plus grands philosophes ne peuvent rien pour vous.

Qu'allait-il se passer si je n'étais pas à la hauteur de la situation ? Lin me dénoncerait-elle à sa responsable politique, allait-on me traiter comme un saboteur ? Rien qu'à y penser, j'avais le front couvert de sueur.

Lin a alors mis sa main dans la mienne, et tout est tranquillement rentré dans l'ordre. Quelques minutes plus tard, nous avons pu accomplir notre devoir et tout s'est bien déroulé, à ma grande surprise.

Au cours des deux jours suivants, nous nous sommes remis à l'ouvrage aussi souvent que nous avons pu. Jamais je n'avais exécuté des exercices aussi satisfaisants. Ils se sont ensuite inscrits tout naturellement dans notre routine, et je ne peux que m'en féliciter.

Certains diront que nous étions trop jeunes pour vivre comme mari et femme. Ce n'est pas mon avis, et mes performances athlétiques en témoignent de manière éloquente : ma progression a été régulière pendant les semaines qui ont suivi notre mariage, et il en a été de même pour Lin. À quatorze ans, le corps est en plein développement et il ne peut que tirer profit de ces exercices supplémentaires. J'ai aussi remarqué que mon sommeil était plus profond, donc plus réparateur, et que je mangeais avec plus d'appétit. Sans pouvoir le prouver, je suis persuadé que le cerveau en profite tout autant. Si je peux me permettre de faire une recommandation aux autorités, c'est celle-ci : non seulement le mariage devrait-il être permis dès l'âge de quatorze ans, mais il devrait être obligatoire non seulement pour les athlètes, mais aussi pour les intellectuels : un peu d'exercice ne pourrait leur faire que du bien.

Pourquoi j'ai appris à lire et à écrire

Au début, outre nos exercices conjugaux, nous ne savions pas trop comment passer le temps, Lin et moi. Nous nous sommes cependant vite aperçus que nous avions quelque chose en commun. Les exercices d'haltéro-philie sont en effet répétitifs et il faut trouver des moyens de s'occuper l'esprit pendant qu'on les exécute. Tout comme moi, Lin adorait additionner dans sa tête les poids qu'elle soulevait, les multiplier par le nombre de répétitions des mouvements, calculer ensuite la moyenne de poids soulevés par heure, par journée, par semaine et ainsi de suite. Quand nous n'avions rien à faire, nous nous étendions parfois sur le lit et nous nous livrions à des compétitions de mathématiques. Lin était très forte à ce jeu. Elle était capable de procéder à des multiplications très difficiles, mais il lui arrivait aussi de commettre des erreurs bêtes à propos de simples additions. Cela la faisait rire, et je riais à mon tour de la voir rire. Mine de rien, ces jeux nous ont rapprochés : autant je l'admirais quand elle faisait des calculs compliqués, autant je me sentais proche d'elle quand elle s'amusait de ses erreurs. Je n'avais jamais connu de tels moments avec qui que ce soit auparavant, et je me surprenais à les apprécier[11].

---

11 *Moi aussi ! On dit souvent que le rire est le chemin le plus court entre deux êtres humains, et c'est bien vrai.*

Nous nous sommes bien sûr raconté nos vies et, à ma grande surprise, j'ai appris que Lin n'avait pas comme moi été conçue pour devenir une athlète de haut niveau. Elle était née dans une famille normale, de parents paysans, et elle était allée à l'école pendant trois ans. Cela explique qu'elle ait appris à lire et à écrire, ce qui était exceptionnel chez les athlètes. C'est grâce à un programme de repérage des performances sportives qu'on l'avait transférée directement de sa famille au camp des pionniers.

Elle me disait parfois s'ennuyer de ses parents et se demandait ce qui était advenu d'eux, mais je ne pouvais alors que l'écouter sans rien dire. Je sais qu'elle a voulu leur écrire des lettres pour leur raconter sa vie chez les pionniers, mais les autorités lui avaient fait comprendre que ces lettres pouvaient tomber dans les mains de saboteurs et qu'il valait mieux s'en abstenir. Elle n'a pas insisté.

Quand Lin a proposé de me montrer à lire, j'avais énormément de réticences. J'avais toujours eu l'impression que la lecture et l'écriture n'étaient pas des activités qu'on encourageait chez les pionniers. Tout ce que je savais au sujet des livres, c'est que certains étaient permis et que d'autres étaient interdits sous peine d'expulsion immédiate du camp, et même pire. Lorsque Qiu nous lisait des extraits de livres, il choisissait ce qui était bon pour nous et j'avais confiance en son jugement. Comment savoir la différence entre ce qui était permis et ce qui ne l'était pas? Je n'avais aucune envie d'être traité comme un saboteur. Et puis à quoi bon apprendre à lire, de toute façon? Dao Kha attendait de moi que je soulève des poids et que je copule, pas que je devienne un intellectuel! «D'ailleurs, regarde à quoi ressemblent nos intellectuels, disais-je à Lin : leur cerveau est peut-être développé, mais leur corps est flasque. Qiu est tellement maigre que je pourrais le briser en deux rien qu'en soufflant dessus. N'est-ce pas là une preuve que la lecture peut nuire aux performances physiques ? »

Lin n'était pas de cet avis. Elle m'a fait valoir que nous ne pouvions pas nous entraîner vingt-quatre heures par jour et que notre corps avait besoin de repos. Pourquoi ne pas en profiter pour muscler notre cerveau avec un peu de lecture ? Un cerveau mieux entraîné ne pourrait-il pas à son tour mieux stimuler nos muscles pour qu'ils deviennent encore plus forts ?

Je n'avais jamais entendu cet argument, que je ne trouvais pas très convaincant.

Lin m'a alors expliqué que Dao Kha, notre leader bien-aimé et le soleil de nos vies, avait lui-même consacré une bonne partie de son temps à écrire des livres, ce qui ne l'avait pas empêché de soulever une montagne de pierres lorsqu'on l'avait laissé pour mort dans le désert. Ce même Dao Kha ne nous avait-il pas appris que la volonté, en certaines circonstances, était plus forte que les muscles ? Or, cette volonté ne s'exprimait-elle pas par des mots, et ces mots ne se retrouvaient-ils pas dans les livres ? Et puis à quoi aurait-il servi à notre leader suprême d'écrire tous ces livres si personne ne pouvait les lire ?

Ces arguments m'ont profondément ébranlé. J'avais moi-même expérimenté plusieurs fois la force de la pensée de Dao Kha en tentant de soulever des poids : plutôt que de me dire que je n'y arriverais jamais et gaspiller ainsi mon énergie mentale, je pensais à une citation de Dao Kha que j'avais entendue dans un cours de politique et j'y trouvais la force nécessaire pour me surpasser.

— Pourquoi ne pourrais-tu pas lire ces phrases toi-même ? poursuivit Lin. Si tu te retrouves un jour seul dans le désert, comme Dao Kha, qui donc te lira ses propos inspirants ? En apprenant à lire par toi-même, tu aurais un accès direct à sa pensée. Tu pourrais y avoir recours aussitôt que tu en sentirais le besoin plutôt que d'attendre les réunions politiques.

Comme je résistais encore, elle a eu recours à un argument encore plus troublant : si je refusais cet apprentissage, cela ne revenait-il pas à insulter Dao Kha, qui s'était donné la peine d'écrire ces livres ? N'était-ce pas une façon détournée de refuser sa pensée ? Ne pourrais-je pas, en conséquence, être perçu comme un saboteur ?

J'essayais de rester impassible, mais ces pensées me troublaient au plus haut point. Je me réveillais au milieu de la nuit, rongé par le doute, si bien que mon entraînement commençait à en souffrir. J'ai fini par m'en ouvrir à Qiu, qui a semblé troublé par mes questions : il n'en finissait plus d'enlever ses lunettes et de faire semblant de les nettoyer avant de les remettre. Il a dû lui-même en parler avec ses supérieurs avant d'en arriver à une décision.

Un mois plus tard, alors que j'étais seul dans le gymnase, il est venu me rejoindre pour me faire part de la position des autorités. Il m'a dit à voix basse que, vu la situation exceptionnelle de notre couple et notre comportement exemplaire, on m'accordait le droit d'apprendre à lire. Il était entendu cependant que je ne lirais que des livres approuvés par les autorités et que je ne parlerais à personne de cette permission. Cela devait rester entre Lin et moi – sans parler de lui-même, évidemment.

J'ai pensé lui demander s'il m'accordait la permission d'apprendre aussi à écrire, mais je m'en suis retenu. Je sentais que je le torturais avec mes demandes spéciales, et je voulais mettre fin à son supplice. Si je ne lui posais pas la question, me suis-je dit, il ne serait pas obligé de me répondre.

Le soir même, je commençais mon apprentissage, y mettant autant de cœur que j'en mettais à soulever des poids. À ma grande surprise, il ne m'a pas fallu beaucoup de temps pour apprendre à lire. Le plus difficile a été de ne pas remuer les lèvres en même temps. Quand j'y suis arrivé, j'ai pu lire de plus en plus vite.

Nous nous installions côte à côte dans notre lit, Lin et moi, et nous lisions tant qu'il y avait de la lumière. J'ai bientôt pu traverser les œuvres choisies de Dao Kha, qui étaient souvent difficiles à comprendre, surtout lorsqu'il parlait de philosophie politique. Je préférais les livres de Jan Tu Sun, son fidèle secrétaire et biographe, qui racontait les hauts faits de sa vie.

Qiu nous avait aussi prêté un livre qu'il avait étudié à l'université. C'était un gros manuel composé de textes écrits par des étrangers. Émile Zola y montrait l'exploitation des mineurs français, Charles Dickens dépeignait le sort épouvantable des orphelins anglais, Jack London dénonçait la cupidité des Américains, Mark Twain révélait leur racisme, et ainsi de suite. En plus de me convaincre de la chance que j'avais de vivre dans notre pays, ces textes me permettaient d'apprendre de nouveaux mots et des façons originales de tourner des phrases. Bien que j'avais aussi le droit de lire des manuels de médecine et de biologie, je revenais toujours à ce livre. J'ai dû le lire dix fois, si ce n'est pas davantage[12].

Je ne crois pas que ces lectures aient nui à mes performances, bien au contraire. Non seulement cette activité aidait à meubler agréablement les périodes libres, mais elle nous fournissait des sujets de discussion susceptibles de renforcer notre relation, de même que l'amour que nous portions à notre pays et à son leader. Pour toutes ces raisons, je recommanderais aux autorités de permettre à certains athlètes dont le comportement est exemplaire d'apprendre à lire, surtout s'ils sont mariés.

Lin m'a aussi appris à écrire, et je recopiais des passages des œuvres choisies de Dao Kha pour perfectionner ma

---

12 *Le manuel ne précisait pas que la plupart de ces auteurs avaient écrit leurs textes plus d'un siècle auparavant, et que la réalité de ces pays avait beaucoup changé depuis ce temps. Tout comme Hô, j'étais convaincue que le reste du monde vivait dans la misère la plus abjecte.*

calligraphie. Cela ne m'est pas arrivé souvent, cependant, car le papier et les crayons se faisaient rares. La plupart du temps, je me contentais de tracer les lettres avec mon doigt sur la table. Lin et moi, nous nous racontions parfois des histoires muettes de cette manière, et cela nous faisait beaucoup rire. Si j'avais su ce qui allait se passer par la suite, j'aurais gardé certains de ces rires en réserve…

Comment Lin m'a aidé à améliorer mes performances sportives et à supporter les moments difficiles

Le plus grand avantage de la vie conjugale est sûrement d'apporter un soutien psychologique aux conjoints. Quelques mois après mon mariage, j'ai dû être opéré à nouveau au bassin. Les entraîneurs et les médecins trouvaient que je manquais encore de mobilité et ils désiraient tester de nouveaux implants.

J'ai dû passer une fois de plus de longues semaines à l'hôpital, et j'ai bénéficié de l'appui indéfectible de Lin, qui venait me voir chaque soir pour partager ses protéines avec moi. Elle me racontait alors la progression de ses entraînements, et cela me motivait à guérir le plus rapidement possible[13].

On ne m'avait pas accordé le droit de lire pendant que j'étais à l'hôpital, mais personne ne pouvait m'empêcher de tracer des lettres sur les draps avec mon doigt ni de compter les trous dans les tuiles du plafond. Chaque fois que Lin venait me voir, nous faisions des concours de calcul et nous avions parfois bien du mal à nous empêcher de rire. Mes compagnons de chambre devaient nous trouver bien bizarres.

En plus de compter les trous dans les tuiles, je calculais le nombre d'heures, de minutes et de secondes qui me sépa-

---

13 Certains médecins avaient des réticences à ce que je vienne voir Hô si souvent, mais je n'avais qu'à leur montrer le document portant la signature de Dao Kha pour qu'ils se confondent en excuses.

raient de la prochaine visite de Lin. Je suis sûr que sa présence dans ma vie a contribué à ma guérison : quand elle venait me voir, je me sentais aussitôt ragaillardi, comme si on m'avait injecté un médicament miraculeux. Elle donnait un sens à tout, même aux trous dans les tuiles.

Je n'ai évidemment aucun moyen de prouver ce que j'avance, mais je suis persuadé que ce deuxième séjour à l'hôpital a été considérablement raccourci grâce à cet appui psychologique. Sans elle, je n'aurais sans doute pas pu reprendre si vite mon entraînement et regagner si rapidement le terrain perdu.

Tous les pionniers se souviennent sûrement du moment de triomphe que j'ai vécu quelques mois plus tard lorsque j'ai battu mon propre record. C'était un exploit remarquable, surtout si on tient compte du fait que je n'avais pas encore quinze ans.

C'était un samedi d'été, et tous les pionniers étaient là pour m'encourager. Ils ont crié « Hò ! » à chacune de mes tentatives, mais c'était la voix de Lin que j'entendais, c'est elle qui m'a insufflé le courage de réussir.

Nous avons eu droit à de beaux discours par la suite, et j'ai moi-même adressé quelques mots à l'assistance, comme me l'avait recommandé Qiu. J'ai d'abord remercié les médecins qui m'avaient opéré, et qui avaient réussi une fois de plus des merveilles. Je n'ai pas donné plus de détails, mais il est vrai que mes nouveaux implants étaient encore plus efficaces que les précédents.

J'ai remercié ensuite tous les athlètes du camp, que je sentais aussi fiers que moi de ma réussite. C'étaient peut-être mes bras qui soulevaient la lourde barre d'acier, leur ai-je dit, mais c'était leur énergie que je sentais circuler dans mes muscles.

J'ai ensuite remercié longuement Dao Kha, dont la pensée m'avait inspiré tout au long de ma convalescence puis de mon entraînement.

J'aurais voulu ajouter ensuite un mot pour remercier Lin, mais Qiu m'en avait dissuadé. Je ne devais pas terminer sur une note aussi individualiste, m'avait-il expliqué, avant de me rappeler que notre mariage était une expérience qui devrait rester secrète. J'ai compris son objection, mais j'avais quelque chose en tête. Quand les applaudissements ont cessé, j'ai en effet annoncé à la foule que je me sentais d'attaque pour battre le record que je venais tout juste d'établir, et j'ai prié mon entraîneur d'ajouter encore cinq kilos à la barre.

Cela n'était pas prévu au programme, et les entraîneurs responsables ont échangé des regards inquiets, se demandant comment ils devaient réagir.

Ils ont cependant répondu à ma requête en ajoutant deux disques d'acier.

J'ai ensuite bien pris mon temps pour enduire mes mains de magnésie. Je ne disais rien, mais je regardais Lin, assise au premier rang.

J'avais encore les yeux rivés sur elle quand je me suis approché de la barre, et je ne l'ai pas quittée des yeux quand j'ai soulevé fièrement les haltères. Tout le monde a crié « Hò ! » une fois de plus, mais moi, j'ai chuchoté « Lin » pour qu'elle puisse le lire sur mes lèvres. C'est ce jour-là que je me suis aperçu qu'il était impossible de prononcer son nom sans sourire[14].

---

14 Il y avait déjà quelques mois que nous vivions ensemble à ce moment-là, et j'avais peu à peu appris à apprécier sa présence. J'admirais sa force et sa ténacité, j'appréciais sa gentillesse avec moi. Mais c'est à partir de ce sourire que j'ai commencé à l'aimer pour de bon.

Comment nous sommes devenus des athlètes supérieurs

Après cet exploit, j'étais persuadé que je pourrais enfin représenter mon pays sur la scène internationale, mais les autorités en ont décidé autrement. On m'a fait comprendre que j'étais peut-être champion dans mon pays, mais que j'étais encore loin des standards internationaux. Une participation à des compétitions où j'aurais terminé au dixième rang n'aurait pas servi à grand-chose, et aurait même pu nuire à notre nation : certains de nos ennemis en

auraient sans doute profité pour déni-
grer la pensée de Dao Kha. Il me fallait
une médaille d'or, ou alors rien du tout.
Et pour obtenir cette médaille, je devais
accepter de déployer des efforts supplémentaires en expérimentant divers
médicaments que les scientifiques de
mon pays avaient préparés pour moi.

J'ai alors commencé à ingurgiter une
quantité incroyable de pilules, de cap-
sules et de comprimés destinés à améliorer mes performances athlétiques[15].

Certains de ces médicaments semblaient très efficaces, notamment pour
accroître ma masse musculaire, mais la
plupart ne me semblaient d'aucune
utilité. J'irais même jusqu'à dire qu'ils
nuisaient à mon développement, en plus
d'avoir des effets secondaires pénibles.

---

15 *Si la moitié de ces médicaments devaient*
   améliorer ses performances, les autres étaient
   des produits masquants.

Je me souviens en particulier d'un comprimé vert qui devait me permettre de récupérer plus rapidement. Je n'en ai pris qu'un seul, et je me suis retrouvé hospitalisé : j'avais les paupières si enflées que je ne pouvais plus ouvrir les yeux, et mon cœur cognait à tout rompre, comme s'il voulait quitter ma cage thoracique. J'avais l'impression qu'on avait enfermé un boxeur dans mon ventre, et qu'il cherchait à en sortir avec l'énergie du désespoir. Dans ma tête, c'était encore pire : le boxeur semblait avoir des poings en acier. Les médecins n'ont rien pu me donner pour calmer ma douleur, et ils m'ont avoué par la suite que c'était un miracle que j'aie survécu. Jamais ils n'avaient vu un cœur s'affoler de cette manière. Si je n'avais pas eu un entraînement d'athlète, j'y serais sûrement resté.

J'étais tellement abattu par cet épisode que je passais toutes mes journées au lit. J'étais incapable de me lever ni même de manger. Je n'avais plus d'énergie. On aurait dit que le ressort de ma volonté s'était brisé. Lin avait beau tenter de m'encourager de toutes les manières, rien n'y faisait.

Qiu est alors venu me voir à l'hôpital et m'a expliqué que notre pays était en guerre contre le reste du monde, que cette guerre se jouait sur tous les fronts et que j'étais en quelque sorte un soldat de la science. Mon rôle, en tant que soldat, était de reprendre au plus vite mon entraînement et d'aider nos scientifiques à expérimenter de nouveaux médicaments. Je n'avais pas le droit de me laisser abattre ni de me laisser accabler par mes états d'âme. Il a conclu en me promettant qu'on me prescrirait des médicaments destinés à me remonter le moral, mais que je devrais aussi y mettre du mien.

Je ne sais pas si ce sont les médicaments ou ses paroles qui ont agi, mais j'ai pu me sortir de ma léthargie et reprendre mon entraînement. Mes performances n'étaient cependant pas au goût de mes entraîneurs, qui se sont alors mis à multiplier les expériences à un rythme infernal.

On a d'abord testé sur moi d'autres comprimés, qui m'asséchaient la gorge et qui entraînaient des vertiges et des évanouissements. On a bientôt cessé ce traitement pour me faire avaler une autre sorte de pilules, qui augmentaient ma résistance à la douleur mais qui m'empêchaient de me livrer à mes activités sexuelles. J'essayais quand même, sachant que c'était là mon devoir, mais en vain. Pour rétablir la situation, on m'a alors prescrit des médicaments qui avaient l'effet inverse : j'étais toujours prêt à passer à l'action, sans que rien ne puisse jamais me soulager.

Les comprimés destinés à renforcer ma volonté avaient aussi leur lot d'effets indésirables. On m'en a fait prendre de toutes les sortes, et ils m'en ont fait voir de toutes les couleurs. J'avais des sueurs froides et des bouffées de chaleur, je souffrais d'hyperactivité et de paralysies partielles, sans parler des migraines atroces qui duraient parfois plus d'une semaine. J'avais l'impression que ma tête avait été réquisitionnée par l'armée pour tester ses canons.

Je faisais aussi de terribles cauchemars. Je rêvais de crapauds géants qui me poursuivaient et me dévoraient après m'avoir injecté des poisons qui m'empêchaient de bouger – mais qui ne m'empêchaient pas de ressentir la douleur. Je me réveillais alors en sursaut, mais ce que je voyais était encore plus atroce : Lin elle-même s'était transformée en crapaud gluant ! Incapable de me débarrasser de ces images horribles, je me suis retrouvé une fois de plus à l'hôpital, où on m'a administré un puissant sédatif. On m'a fait dormir pendant une semaine entière, ce qui était le seul moyen, selon nos médecins, de calmer ces hallucinations.

Après ce coma artificiel, les autorités ont décidé de cesser de me faire ingurgiter ces médicaments, à mon grand soulagement. Ce répit fut toutefois de courte durée, puisqu'on a repris les expériences destinées à me faire produire davantage de calcium. J'ai enduré ces opérations avec une relative facilité : après ce que je venais de subir, ce n'était guère plus qu'un chatouillement. On me faisait boire des quantités de plus en plus grandes du produit désinfectant, et je commençais à m'habituer à son effet. Je me sentais de plus en plus étourdi quand j'en buvais, j'avais chaque fois la bouche pâteuse le lendemain et je souffrais d'horribles maux de tête[16].

---

16 J'ai eu droit moi aussi à ce « médicament », qui n'était en fait que de l'alcool à 40 degrés.

Lin a été à mes côtés pendant tout ce temps, même si elle vivait elle aussi des moments tout aussi difficiles.

Depuis quelques mois, nous avions remarqué que quelque chose semblait tracasser les médecins et les infirmières. Ils ne nous disaient rien, mais ils multipliaient les tests. Mon sperme, en particulier, semblait les intéresser. Ils me demandaient régulièrement d'en prélever des échantillons. Lorsqu'ils ont découvert que certains produits que j'ingurgitais avaient comme effet secondaire de réduire considérablement ma production de spermatozoïdes, ils m'en ont dispensé à tout jamais, ce qui était une excellente nouvelle. On nous a alors priés de nous livrer le plus souvent possible à nos exercices conjugaux et j'ai obéi avec ardeur à cette consigne.

Ce fut alors au tour de Lin d'être régulièrement convoquée à la clinique pour y subir des tests dont nous ne connaissions pas la nature.

Un jour, elle est rentrée d'un examen médical en se tordant de douleur. Il aurait fallu l'envoyer à l'hôpital, mais il était fermé en raison d'une épidémie de bactéries. On a donc renvoyée Lin à la maison, et j'ai pris soin d'elle du mieux que j'ai pu. Elle a perdu beaucoup de sang, et j'ai eu peur qu'elle meure.

Nos médecins et nos entraîneurs ont eu une réaction étrange par la suite : plutôt que de lui accorder une période de repos, ils ont insisté pour qu'elle reprenne le plus rapidement possible son entraînement, tout en multipliant les mesures et les tests. C'était, paraît-il, ce qu'il y avait de mieux à faire pour qu'elle se rétablisse. La pauvre Lin saignait encore et elle devait soulever des masses considérables de fonte. Elle rentrait épuisée à la maison et elle était souvent au bord des larmes.

J'ai tenté de la soutenir du mieux que j'ai pu. J'essayais de la faire rire avec des problèmes mathématiques ou des histoires que je lui dessinais avec mon doigt, mais je n'avais pas beaucoup de succès. Elle préférait appuyer sa tête sur mon épaule, et me demandait de lui caresser les cheveux en silence. Elle m'en remerciait chaque fois, et je n'ai jamais compris pourquoi : je profitais autant qu'elle de ces moments apaisants.

Quand elle a été rétablie, les médecins ont insisté pour que nous reprenions le plus vite possible nos exercices conjugaux. Nous avons recommencé tout doucement au début, mais bientôt nous y avons mis toute la vigueur dont nous étions capables. Lin passait de plus en plus de tests médicaux, et chacun de ses exercices était l'occasion de multiples mesures. Un mois plus tard, elle a encore passé quelques heures à l'hôpital pour y subir une autre intervention douloureuse, mais celle-ci fut mieux réussie que la précédente : Lin a perdu moins de sang et a pu reprendre rapidement son entraînement.

On nous a ensuite demandé de nous livrer à nos activités conjugales dans un laboratoire spécialement équipé pour nous recevoir. On nous implantait des électrodes un peu partout, et jusqu'aux endroits les plus inattendus, puis on nous demandait de procéder le plus naturellement possible tout en prenant garde à ne pas nous emmêler dans les fils. Je détestais tellement ces expériences que j'en suis venu à apprécier les périodes de repos forcé que nous devions observer lorsque Lin subissait ses interventions. Quand je lui caressais les cheveux, au moins, je n'avais pas peur de subir une décharge électrique.

C'est à ce moment-là que la progression de mes performances athlétiques a commencé à ralentir. J'avais beau m'entraîner de toutes mes forces en m'inspirant de la pensée de Dao Kha, rien n'y faisait. Sitôt qu'on ajoutait des poids à ma barre, celle-ci restait obstinément clouée au sol. Les médecins n'y comprenaient rien, et moi non plus. J'étais pourtant motivé plus que jamais à réussir, et je relisais sans cesse des passages choisis des œuvres de Dao Kha pour décupler ma volonté.

Un jour, à la clinique, j'ai surpris une conversation entre un médecin et une infirmière. Leurs tests semblaient démontrer que mes muscles étaient toujours aussi puissants, mais que mes os se fragilisaient. Ces propos ont failli me décourager, mais je me suis vite repris en main : ils allaient trouver une solution, j'en étais convaincu. En attendant, mon travail était de m'entraîner avec ardeur, malgré la douleur.

J'ai donc continué à soulever des poids, sans trop de succès. Quand les médecins se sont aperçus que mes performances allaient de mal en pis, ils ont expérimenté un traitement de choc : ils m'ont sevré de tous les médicaments, y compris ceux qui servaient à masquer la douleur, pour ne m'en donner qu'un seul, qu'ils m'administraient par injections. Les résultats ont dépassé leurs attentes. Je pouvais en effet m'entraîner pendant des heures sans ressentir la moindre douleur, et mes muscles se gonflaient presque à vue d'œil ! J'ignore en quoi consistait ce remède, mais il s'est avéré miraculeux. Je passais alors mes journées au gymnase, entouré d'une nuée de médecins et de spécialistes de toutes sortes, qui semblaient ravis de mes performances. Je me sentais si fort que j'aurais pu soulever dix mille tonnes de fonte sans me fatiguer.

C'est de cette façon abrupte que se termine le récit de mon mari.

Hò a continué à remplir ses petits papiers jusqu'à la toute fin, mais la douleur était si intense qu'il n'avait plus conscience de ce qu'il écrivait, et les signes qu'il traçait n'avaient plus qu'un

lointain rapport avec des lettres.
J'ai dû renoncer à les déchiffrer.

Selon la version officielle, Hô
serait décédé d'un arrêt cardiaque.
Les médecins m'ont assuré que
c'était une mort accidentelle
qui n'avait rien à voir avec les
médicaments qu'il avait ingurgités,
ni avec aucune des expériences
qu'on avait tentées sur lui. Je n'ai
même pas fait semblant de les
croire.

J'ai demandé à le voir, mais on
m'en a empêchée. J'ai tout de même
obtenu la permission d'aller dans
sa chambre, où j'ai pu récupérer ses
derniers papiers.

Si Hô s'était rendu au bout de
son projet, il aurait sans doute

raconté ce qu'il avait ressenti quand nous avons fait notre premier voyage en avion, peu après son quinzième anniversaire. Imaginez un peu notre joie : nous avions été invités à représenter notre pays à notre première compétition internationale. Ce fut notre heure de gloire, et je suis heureuse que nous l'ayons vécue ensemble.

Nous étions excités comme des enfants en montant dans l'avion, et Hò l'était sans doute plus que moi : nous n'avions jusque-là voyagé que trois fois au cours de toute notre vie, et encore était-ce dans l'autobus qui nous emmenait dans la capitale pour le défilé de la fête nationale ; nous n'étions jamais sortis du camp depuis ce temps, et voilà que nous nous envolions vers un pays étranger !

Près d'une vingtaine de pionniers avaient été choisis pour participer à ce périple, et nous étions accompagnés d'une armée d'entraîneurs, de responsables politiques, de nutritionnistes, de médecins et de psychologues. Il avait fallu noliser un avion complet pour loger tout ce monde. Si les athlètes et leurs entraîneurs voyageaient en classe régulière, les responsables politiques, eux, avaient droit à la classe affaires. Ils y prenaient de véritables repas arrosés des meilleurs vins tandis que nous devions nous contenter de nos infâmes galettes de protéines. N'est-ce pas le comble de l'injustice, quand on y pense ? C'était nous qui avions souffert pendant des années au cours de douloureux entraînements, c'était à nous qu'on demandait d'accomplir des performances surhumaines, mais c'étaient nos dirigeants qui menaient des vies de pachas ! Aussi incroyable que cela puisse paraître, je ne me souviens pas d'avoir perçu cela comme une injustice. Nous pensions alors que ce déséquilibre dans nos traitements était justifié par les « raisons de sécurité » habituelles.

Au moment du départ, on nous a donné une foule de consignes que nous devions respecter scrupuleusement. Ainsi, nous ne devions rien manger de ce qu'on nous offrirait, car il aurait été risqué de changer de régime alimentaire à quelques jours des compétitions – sans compter que de nombreux saboteurs étaient sans doute à l'affût, prêts à toutes les bassesses pour nous empêcher de prouver à la face du monde la supériorité de la pensée de Dao Kha… Cette mesure était peut-être sage, à bien y penser : plusieurs d'entre nous n'avaient jamais rien mangé d'autre, au cours de leur vie, que la nourriture du camp. Aurions-nous ingurgité autre chose que nous aurions sans doute été malades, notre organisme n'étant pas habitué à cette nourriture.

C'est aussi pour des « raisons de sécurité » qu'il nous était interdit d'échanger quelque propos que ce soit avec les étrangers, et cela, même si les compétitions se déroulaient dans un pays ami. Nous ne devions jamais quitter notre dortoir sans être accompagnés d'un responsable politique, ni sortir du complexe sportif où nous nous trouvions. Nous n'avions même pas le droit d'aller à la cantine, où nous aurions pu croiser des athlètes étrangers et échanger avec eux, comme cela se fait dans toutes les rencontres internationales. Nous mangions nos protéines dans le dortoir qui nous était réservé, nous participions aux compétitions, nous revenions dans le dortoir, et c'est tout. Nous n'avons donc jamais visité autre chose que des gymnases, des douches et des salles de toilettes. Je me souviens encore de la surprise que nous avons eue quand nous nous sommes aperçus que nous pouvions contrôler la température de l'eau de la douche, et que celle-ci n'avait aucune odeur désagréable. Nous ne nous en lassions pas.

Hò, pour sa part, ne mangeait plus rien depuis quelques semaines. Il ne quittait jamais notre dortoir, où des médecins le nourrissaient par intraveineuses. Ils lui injectaient en même temps le dernier médicament qu'ils avaient expérimenté sur lui et qui semblait avoir des résultats miraculeux. Ses muscles étaient alors si gonflés que j'avais du mal à le reconnaître. Il pouvait s'entraîner pendant des heures sans ressentir de douleur – du moins en apparence. Ces injections avaient toutefois des effets secondaires épouvantables : Hò était parfois agité de convulsions pendant des heures, jusqu'à s'évanouir d'épuisement. Quand il se réveillait, il devenait agressif, lui qui avait toujours été d'une douceur exemplaire. Il ne s'en est jamais pris à moi dans ces moments-là, mais il lui arrivait de se mordre alors les poings jusqu'au sang, et les médecins devaient l'attacher pour l'en empêcher.

Il n'était plus le même homme. Son corps avait été déformé, et son esprit encore plus.

Cela ne l'a pas empêché de remporter la médaille d'argent à ces jeux, ce qui était un exploit remarquable si on tient compte de son âge. Toutefois, pendant le vol du retour, il n'a pas cessé de me répéter à quel point il aurait aimé remporter une médaille d'or pour l'offrir à Dao Kha.

J'essayais de le consoler comme je le pouvais, mais je comprenais sa peine : bien que j'aie remporté la médaille d'or à l'épaulé-jeté, je n'avais rien remporté à l'arraché et j'étais déçue de n'avoir pas pu offrir un doublé à Dao Kha.

N'est-ce pas là le comble de l'absurde ? Nous avions travaillé pendant des années pour en arriver là, nous y avons tous deux sacrifié notre santé, et nous n'étions pas encore satisfaits de nos performances. Aurions-nous soulevé la Terre, comme Atlas, que nous ne l'aurions pas été davantage. Un entraîneur serait sûrement venu nous dire qu'il fallait aller plus loin et soulever Saturne ou Jupiter, ou l'Univers tout entier...

N'était-il pas plus idiot encore d'avoir fait tout cela pour ce Dao Kha que nous n'avions jamais vu et que nous ne verrions jamais ? Quand je suis montée sur le podium, c'est pourtant vers lui que se dirigeaient mes pensées, et j'avais la larme à l'œil en écoutant notre hymne national. Je croyais que ma performance me permettrait enfin de le rencontrer à notre retour au pays. Si tel avait été le cas, j'aurais sans doute été troublée au point d'en perdre connaissance, et peut-être même me serais-je décomposée de bonheur.

Par contre, si j'avais su alors ce que je sais maintenant, j'aurais pu profiter de cette rencontre hypothétique pour étrangler ce nabot prétentieux.

Ce n'est que lorsque j'ai réussi à quitter le pays, quelques années plus tard, que j'ai connu la vérité au sujet de Dao Kha. On me l'a alors décrit comme un menteur, un manipulateur, un criminel paranoïaque et mégalomane. Au début, je n'en croyais pas un mot, évidemment. Tout cela ne pouvait être que de la propagande répandue par des saboteurs, et je me bouchais les oreilles pour ne pas entendre ces mensonges.

J'ai pourtant fini par admettre la vérité en prenant connaissance des témoignages de nombreux ressortissants de mon pays. Le moins qu'on puisse dire, c'est que j'ai cruellement déchanté.

J'ai ainsi appris que Dao Kha n'avait jamais participé à aucune guerre ni à aucune révolution, et qu'il n'avait accompli aucun fait d'armes. Il n'avait jamais non plus piloté d'avion, ni été fait prisonnier dans un désert. Tous ses exploits étaient de pures inventions. Est-il besoin de préciser qu'aucune étoile n'est apparue dans le ciel le jour de sa naissance, et qu'aucun arc-en-ciel n'a recouvert le pays en entier ? Comment avons-nous pu croire en de telles bêtises ? La réponse est simple : parce qu'on ne nous avait jamais rien montré d'autre.

Dao Kha a simplement hérité du pouvoir de son père, qui s'en était lui-même emparé par un coup d'État sanglant et qui s'était maintenu en place en exerçant une répression féroce sur son peuple. Le premier geste qu'a accompli Dao Kha quand son père est mort n'a pas été de rétablir la démocratie, d'investir dans le système de santé ou de construire des écoles – je suis sûre que ces idées ne lui ont même jamais traversé l'esprit. Il s'est plutôt fait ériger un palais de plus de deux cents pièces, dans lequel il s'est enfermé pour ne plus jamais en sortir. La lumière qui restait allumée toute la nuit n'était pas celle du bureau où il travaillait, mais celle de la pièce où il regardait des films.

Il n'a jamais non plus écrit une seule ligne des pensées et des livres qu'on lui a attribués. Son unique coup de génie a été de mettre sur pied un ingénieux système de surveillance qui lui permettait d'être au courant des moindres

tentatives de complot contre lui :
le chef du service de sécurité
surveillait les hauts dirigeants de
l'armée, lesquels contrôlaient les
services de contre-espionnage,
qui surveillaient à leur tour les
dirigeants des services secrets, et
ainsi de suite. Le même système de
surveillance et de délation avait
cours partout dans la population,
et les yeux et les oreilles de Dao Kha
s'infiltraient jusque dans le lit
conjugal : un mari qui soupçonnait
son épouse d'être une saboteuse
avait le devoir de la dénoncer. Elle
était alors arrêtée et envoyée dans
un camp de rééducation dont elle
ne revenait jamais.

Pendant que ses successeurs potentiels se surveillaient et se dénonçaient l'un l'autre, Dao Kha pouvait se livrer à sa seule passion : le cinéma. Il passait des journées entières à se faire projeter de vieux films de guerre et des comédies musicales plus stupides les unes que les autres. Il ne sortait jamais de son palais, pas même pour assister à la parade militaire du 12 août. Il avait trop peur de se faire assassiner s'il restait trop longtemps dans un lieu découvert. C'était sans doute une sage précaution de sa part.

Mais j'ai assez parlé de cette ordure, à qui on a consacré des dizaines de livres et d'articles, alors

que personne n'a jamais parlé de la
vie que nous avons menée, Hò et moi.

｜｜｜

Hò n'a jamais su que je m'étais
fait avorter. Cela vous semblera
peut-être difficile à croire, mais j'en
avais à peine conscience moi-même.
Je me doutais que quelque chose de
ce genre s'était produit, mais je n'en
ai eu l'assurance que lorsque j'ai
enfin pu quitter ce sinistre pays et
raconter à des médecins étrangers
tout ce qui m'était arrivé. Ce sont
eux qui m'ont expliqué ce qu'on
m'avait fait subir. Le travail de Hò
était de m'engrosser, et le mien était
d'être enceinte, mais **pas trop
longtemps** : une fois l'embryon
conçu, le corps de la mère produit

en effet un surplus d'hormones qui contribuent à améliorer ses performances sportives. C'est un dopage naturel, en quelque sorte. Un dopage qui a le grand avantage d'être indétectable.

Il n'était évidemment pas question de rendre ces fœtus à terme, car cela m'aurait empêchée de poursuivre mon entraînement. Nos médecins s'intéressaient aux médailles, pas à la vie. L'idéal, semble-t-il, était de me faire avorter à la troisième semaine de grossesse : mon corps avait alors produit un maximum d'hormones que je devais m'empresser de mettre au service de mes performances. On m'emmenait alors à la clinique, on me faisait boire de grandes quantités d'alcool pour que je ne m'aperçoive de rien, puis on me fouillait dans le ventre et on me renvoyait à la maison sans m'expliquer ce qui m'était arrivé, de peur sans doute que je fasse part de ces expériences à des saboteurs.

Je ne sais pas ce que les prétendus saboteurs auraient pu faire de cette information. Ce que je suis bien placée pour savoir, en revanche, c'est que nos médecins m'ont saboté le ventre : le dernier avortement que j'ai subi a été réalisé dans des conditions si insalubres qu'il y a eu des **complications,** comme on me l'a dit par la suite. Ce que cela signifiait, je ne l'ai compris que bien plus tard : je ne pourrais jamais avoir d'enfant.

J'ai souvent pensé à ce qui se serait produit si on m'avait dit la vérité **avant** de commencer ces expériences. J'aurais probablement demandé si c'était ce que Dao Kha attendait de moi, et si cela m'aiderait à lui rapporter une médaille. Même si j'ai peine à le croire aujourd'hui, même si cela me révulse rien que d'y songer, il aurait suffi que l'on me réponde par l'affirmative pour que j'accepte ces interventions avec enthousiasme. Cela donne la mesure de notre endoctrinement.

|||

Je ne sais pas comment Hò aurait réagi quand le régime de Dao Kha s'est écroulé. Comme vous avez pu le constater, Hò vouait un véritable culte à notre président, qu'il considérait comme un dieu vivant. Pour le convaincre d'écrire son témoignage, malgré tous les risques que nous encourions, j'ai dû lui promettre que je ferais des pieds et des mains pour le faire lire à Dao Kha lui-même, ou du moins à des dirigeants qui en étaient proches. Hò était convaincu qu'il suffisait de lui raconter ce qui se passait dans notre camp pour que Dao Kha mette son puissant cerveau à notre service et corrige tous les problèmes d'un seul coup de sa pensée magique.

Hò y croyait plus que jamais quand il est mort. C'était son dernier espoir, la dernière bouée à laquelle il s'est accroché. Peut-être même cette bouée lui a-t-elle permis de survivre quelques jours de plus.

Je ne sais pas s'il existe une quelconque forme de vie après la mort. Mais si l'âme de Hò flotte quelque part dans le ciel, s'il subsiste une parcelle de sa conscience dans quelque dimension secrète de l'univers, j'espère qu'il sait maintenant à quel point Dao Kha était une ignoble crapule.

'''

Je dois avouer ici, à ma courte honte, que je n'ai jamais pensé remettre le manuscrit de Hò aux autorités de mon pays, même si j'étais moi aussi éperdue d'admiration envers Dao Kha. Si j'ai convaincu Hò d'écrire ses mémoires, c'est tout simplement parce que je savais qu'il mourrait bientôt et je ne pouvais pas me résigner à ce qu'il ne me reste plus rien de lui.

À cette époque, je me trouvais bien égoïste de penser ainsi. S'il y a une chose que je regrette aujourd'hui, c'est de ne pas l'avoir été davantage.

∎∎∎

Hò a été enterré tout près de notre maisonnette. Il y a eu une cérémonie aussi brève que secrète au cours de laquelle Qiu a lu des extraits des œuvres de Dao Kha. On a ensuite

enterré mon mari, qui avait été
enveloppé dans un simple linceul.
Il n'a pas eu droit à un cercueil, ni
à un monument, ni même à une
croix de bois. « Toute tristesse est
improductive, avait déclaré Dao Kha
dans un de ses traités philosophiques,
et tout ce qui l'entretient est
nuisible. » C'est ce même Dao Kha,
soit dit en passant, qui avait fait
construire un mausolée de marbre
à la gloire de son père et qui avait
ordonné que le pays en entier
observe une semaine de deuil en
sa mémoire...

Le lendemain de l'enterrement,
on me demandait déjà de reprendre
mon entraînement et de retourner
vivre dans une chambre du

bâtiment principal, avec ma patrouille : la maisonnette avait été attribuée à un autre couple.

On m'a formellement interdit de parler à qui que ce soit de ce qui était arrivé à Hò, sous prétexte que cela aurait pu perturber les athlètes et nuire à leur entraînement. Ces mots polis cachaient une menace bien réelle : celle d'être accusée de sabotage, et de disparaître.

▮▮▮

J'ai compris beaucoup plus tard que Dao Kha avait parfaitement raison de soupçonner que des saboteurs étaient à l'œuvre dans notre pays, et si j'avais été à sa place, je me serais méfiée d'eux, moi aussi : leur but était en effet de se débarrasser de ce régime pourri et de restaurer la démocratie.

J'avais dix-sept ans quand Dao Kha a été pendu à un lampadaire par la population en colère, en face de son palais. La révolution couvait depuis un bon moment dans le pays, mais les pionniers, coupés du monde, n'en savaient rien.

Ce matin-là, je me souviens de ma surprise et de celle de ma patrouille quand nous avons constaté que la responsable politique qui partageait notre chambre avait disparu. Nous avons pensé qu'elle était malade, et nous nous sommes dirigées vers la cantine, comme d'habitude. Là-bas, une autre surprise nous attendait : tous les responsables politiques s'étaient volatilisés, en même temps que les médecins et les entraîneurs sportifs. Il ne restait plus dans notre camp que des employés subalternes, qui nous ont expliqué que nos dirigeants étaient partis pendant la nuit, emportant avec eux toutes les provisions de protéines.

Plutôt que de prendre la fuite à notre tour, nous avons simplement sauté le petit-déjeuner et repris notre entraînement, convaincues que ce n'était là qu'un malheureux contretemps et que tout rentrerait bientôt dans l'ordre.

Durant la matinée, les rumeurs les plus folles ont commencé à circuler. Selon les uns, des saboteurs avaient tué nos responsables, et des traîtres s'étaient emparés du pouvoir. Selon les autres, des étrangers avaient attaqué notre pays et forcé Dao Kha à pendre la fuite, mais ce n'était évidemment qu'un repli tactique de sa part. Nous étions convaincues qu'il reviendrait bientôt reprendre la place qui lui revenait à la tête de son armée secrète. D'autres enfin racontaient que Dao Kha avait lui-même fomenté une révolution dans le but de confondre ses adversaires... Bref, c'était à n'y rien comprendre.

À midi, nous nous sommes encore une fois présentées à la cantine, dans l'espoir que la situation soit rétablie. Nous avons alors découvert avec horreur que tous les employés avaient pris la fuite.

Nous n'avions plus de nourriture, mais nous pouvions au moins boire l'eau du lac. Nous avons donc continué à nous entraîner comme si de rien n'était, mais de plus en plus inquiets et affamés.

Le soir venu, nous avons eu le réflexe de nous réunir dans l'ancienne salle de bal, mais tout le monde parlait en même temps, les rumeurs fusaient dans tous les sens, et un vent de panique a commencé à souffler lorsque, à la nuit tombée, un camion de l'armée s'est arrêté en face de la porte principale.

Des soldats armés de mitrailleuses en sont descendus. Celui qui semblait être leur chef nous a informés de ce qu'il appelait la « nouvelle situation politique » : Dao Kha était mort, le pays était à feu et à sang, et l'armée ne pouvait ni protéger notre camp ni l'entretenir. Il nous conseillait donc de le quitter par petits groupes et de nous débrouiller comme nous le pouvions. Sa dernière recommandation a été de ne compter sur personne d'autre que sur nous-mêmes, et de ne jamais voyager pendant la nuit. Il est ensuite remonté dans son camion sans ajouter un mot, et nous a laissés là.

Nous sommes restés pantois pendant de longues minutes, puis quelques pionniers, mourant de faim, se sont précipités vers les cuisines à la recherche de quelque trace de nourriture. Avec les filles de ma patrouille, nous avons plutôt exploré les chambres de nos dirigeants : peut-être avaient-ils des réserves secrètes ? Nous n'avons rien trouvé, et nous commencions à avoir peur : la nuit était tombée, les génératrices ne fonctionnaient plus et des bagarres éclataient autour de nous. Nous entendions souvent des coups de feu et des explosions, au loin, et nous voyions des lueurs d'incendies.

Nous ne pouvions plus faire confiance à personne, pas même aux autres pionniers, qui se battaient entre eux pour le moindre morceau de nourriture.

Je me suis réfugiée avec les filles de ma patrouille dans notre chambre, où nous nous sommes barricadées pour la nuit, et nous avons décidé de quitter le camp dès le lever du soleil. Personne ne savait où nous irions, ni ce que nous ferions. J'ai beaucoup pensé à Hò, cette nuit-là: j'aurais tellement aimé qu'il soit à mes côtés ! Avec lui, je me serais sentie en sécurité.

Quand l'aube est enfin arrivée, nous sommes sorties du camp. Nous avons marché toute la journée sur une route qui avait autrefois été asphaltée, et nous avons croisé de nombreux groupes de pauvres gens qui erraient sans but, comme nous.

Ces personnes faisaient peur à voir. Elles étaient vêtues de haillons, plusieurs n'avaient pas de chaussures, elles étaient maigres et décharnées. Elles nous jetaient un regard craintif et s'enfuyaient quand elles nous voyaient. Elles ne voulaient pas nous parler, et je les comprenais : comment auraient-elles pu croire que nous venions du même pays, nous qui n'avions jamais manqué de nourriture, qui portions des chaussures aux pieds et arborions un corps musclé ? Certaines d'entre nous, dont j'étais, avaient même revêtu leur tenue de cérémonie, y compris les bottes brillantes avec des fers au talon. On ne pouvait pas imaginer costume plus indécent dans les circonstances.

J'ai alors eu une intuition terrible, mais qui n'a fait que se confirmer par la suite : moi qui n'avais jamais rien fait d'autre de toute ma vie que m'entraîner et manger des infâmes galettes de protéines dans ce camp, j'avais fait partie des privilégiés. À l'exception des dirigeants, tous les autres habitants de ce pays avaient eu un sort bien pire que le mien.

Nous avons marché ainsi pendant une semaine sans que personne nous adresse la parole. Nous dormions dans le fossé, ou dans des fermes abandonnés. Le plus difficile était de trouver de la nourriture. Je me suis alors souvenue que, du temps où j'habitais chez mes parents, mon père avait un potager dans la cour. J'étais la seule de mon groupe à connaître l'existence des légumes et à savoir que certains poussaient sous la terre. J'ai encouragé mes camarades à fouiller les sols qui semblaient avoir déjà été cultivés pour débusquer quelques tubercules. Une de mes compagnes était si affamée qu'elle s'est risquée à manger des insectes. J'ai résisté le plus longtemps possible, mais j'ai dû m'y résigner, moi aussi. C'est ainsi que nous avons pu survivre, du moins la plupart d'entre nous.

Durant cette période trouble, des bandes de malfaiteurs parcouraient le pays. Ils ne connaissaient ni loi ni morale, et nous représentions pour

eux des proies tentantes. Deux
d'entre nous y ont laissé leur peau.
Un de ces bandits a voulu s'en
prendre à moi, mais à l'avenir,
il y repensera sans doute à deux
fois avant de s'attaquer à une
haltérophile : quand il a cherché à
me violer, je lui ai saisi un poignet
et je l'ai brisé comme une allumette.

'''

Dieu seul sait comment nous
sommes arrivées dans un camp
de réfugiés. J'y ai passé deux mois.
Je me souviens ensuite avoir fait
la file à la porte d'une tente sur
laquelle était cousue une feuille
d'érable rouge. Je n'avais aucune
idée de ce que je trouverais au bout
de cette file. Quelqu'un avait dû

me dire que c'était une bonne idée d'y aller, et j'ai obéi.

Des soldats m'ont posé quelques questions auxquelles j'ai répondu du mieux que j'ai pu, et quelques jours plus tard, à ma grande surprise, je montais dans un avion qui m'emmènerait au bout du monde, dans un pays de neige dont je n'avais jamais entendu le nom, mais où j'ai pu refaire ma vie.

⁞⁞⁞

J'ai mis vingt ans avant de retourner dans le pays où je suis née. C'est mon second mari, un Canadien, qui a insisté pour que nous fassions ce voyage. Il voulait voir de ses propres yeux mon village natal, dont je me rappelais encore

le nom, et ce camp où j'avais passé
une grande partie de ma vie.

Nous avons traversé le pays dans
un autobus climatisé, mille fois
plus confortable que ceux que nous
utilisions à l'époque pour aller dans
la capitale. Les fenêtres n'étaient
évidemment pas obstruées par des
cartons et ce que nous avons pu voir
correspondait à ce qu'on disait de
ce pays dans les journaux : c'était
un pays pauvre, qui avait vécu des
années extrêmement difficiles, mais
où on voyait partout des ouvriers
occupés à travailler et à construire
des routes et des maisons. Plus
important encore, les gens que nous
rencontrions étaient souriants et ils
n'évitaient aucune de nos questions.

Nous avons fini par trouver le village où je suis née, dans le nord du pays. Il a été miraculeusement épargné par les guerres et les bouleversements politiques, et j'ai pu bavarder avec des gens qui y avaient toujours vécu et qui se souvenaient encore de mes parents, morts depuis longtemps.

Nous nous sommes ensuite dirigés vers le sud, mais nous n'avons pas pu retrouver le camp où je me suis entraînée. Il a été rasé par les flammes peu de temps après notre départ, et il n'en reste plus rien. J'ai toutefois été très étonnée d'apprendre que les archives du camp ont été soigneusement préservées, et j'ai pu les consulter.

C'est ainsi que j'ai su que le sperme de Hò avait été utilisé pour ensemencer des centaines de jeunes femmes qui vivaient dans un camp tout près du nôtre. Celles-ci ont donné naissance à de nombreux enfants, fort probablement destinés à devenir des champions olympiques pour la plus grande gloire de Dao Kha. Je n'avais jamais entendu parler de ces femmes ni de ce camp. La plupart des enfants qui y sont nés ont été pris en charge par des organismes internationaux et donnés en adoption en Europe et en Amérique. Je n'ai évidemment aucun moyen de savoir si l'un d'entre eux est devenu champion olympique, accomplissant ainsi, de façon posthume, le destin de Hò.

Si tel est le cas, j'espère qu'il profitera de sa gloire pour lui-même et pour personne d'autre.

J'ai eu beau fouiller dans les archives, je n'ai trouvé aucune mention des ovules qu'on avait prélevés sur moi. Cela m'a beaucoup déçue : j'aurais aimé apprendre qu'un de ces ovules avait été fécondé par Hò et que notre enfant vivait quelque part dans ce vaste monde.

J'aurais alors tout fait pour le retrouver et lui raconter l'histoire de son père, qui a été le véritable soleil de ma vie.

Remerciements

Merci aux étudiants du cours *ELD-725 Édition du manuscrit* (Université de Sherbrooke) pour leurs précieux commentaires : Anne-Marie Asim, Nathalie Caron, Mélanie Decelles, Sara Dufour, Christophe Horguelin, Claudine Marcoux, Marie-Michèle Martel, Clémence Poupon, Nathalie Ranger, Annie-Christine Roberge, Émilie Rodgers, Fabienne Rossini et Mathieu Samson.

Et un merci majuscule à Marie-Josée Lacharité, leur enseignante et ma directrice littéraire.

Du même auteur chez d'autres éditeurs

Jeunesse

Il pleut des records, FouLire, 2011.

OK pour le hockey!, FouLire, 2011.

Les histoires de Zak et Zoé (Coffret), Foulire, 2010.

Ça, c'est du baseball!, FouLire, 2010.

Du soccer extrême, FouLire, 2010.

La Ligue Mikado, Scholastic, 2010.

Mes parents sont gentils mais... tellement mauvais perdants!,
    FouLire, 2008.

SÉRIE DAVID

David et Léa, Dominique et compagnie, 2008.

David et la bête, Dominique et compagnie, 2007.

David et le salon funéraire, Dominique et compagnie, 2005.
   • **Prix TD**

David et les crabes noirs, Dominique et compagnie, 2004.

David et l'orage, Dominique et compagnie, 2003.

David et la maison de la sorcière, Dominique et compagnie, 2002.

David et le précipice, Dominique et compagnie, 2001.

David et les monstres de la forêt, Dominique et compagnie, 2001.

David et le fantôme, Dominique et compagnie, 2000.
   • **Prix M. Christie**
   • **Liste d'honneur IBBY**

Deux heures et demie avant Jasmine, Boréal, 1991.
   • **Prix du Gouverneur général**
Zamboni, Boréal, 1990.
   • **Prix M. Christie**
Corneilles, Boréal, 1989.

Albums

Débile toi-même et autres poèmes tordus, Les 400 coups, 2007.

Le vilain petit canard, Imagine, 2005.

Voyage en Amnésie et autres poèmes débiles, Les 400 coups, 2004.

Tocson, Dominique et compagnie, 2003.

Madame Misère, Les 400 coups, 2000.

L'été de la moustache, Les 400.coups, 2000.

Adulte

Bonheur fou, Boréal, 1990.

L'Effet Summerhill, Boréal, 1988.

Benito, Boréal, 1987. Boréal compact, 1995.

La note de passage, Boréal express, 1985. B.Q., 1993.